CURSO DE ESPAÑOL

Espacio

JOVEN

Libro del alumno

Equipo ESPACIO

Nivel

A2.2

Edi numen

© Editorial Edinumen, 2012

© Equipo ESPACIO:
María del Carmen Cabeza Sánchez, Francisca Fernández Vargas, Luisa Galán Martínez, Amelia Guerrero Aragón, Emilio José Marín Mora, Liliana Pereyra Brizuela y Francisco Fidel Riva Fernández.
Coordinación: David Isa de los Santos y Nazaret Puente Girón

Depósito legal: M-269-2012
ISBN - Libro del alumno + CD: 978-84-9848-345-1

Impreso en España
Printed in Spain

Coordinación editorial:
Mar Menéndez

Edición:
David Isa
Nazaret Puente

Proyecto editorial:
Jana Foscato

Revisión de originales:
Valeria Franzoni

Diseño de cubierta:
Carlos Casado

Diseño, maquetación e ilustraciones:
Carlos Casado

Maquetación del libro ejercicios:
Antonio Arias

Ilustraciones del libro de ejercicios:
Carlos Yllana

Actividades interactivas:
Antonio Arias y Carlos Yllana

Fotografías:
Archivo Edinumen

Estudio de grabación:
Javier Pérez Mejías

Impresión:
Gráficas Glodami. Madrid

Vídeos:
Lucentum digital

Editorial Edinumen
José Celestino Mutis, 4. 28028 Madrid. España
Teléfono: (34) 91 308 51 42
Fax: (34) 91 319 93 09
e-mail: edinumen@edinumen.es
www.edinumen.es

Extensión digital de *Espacio Joven*: en la **ELEteca**, puedes encontrar, con descarga gratuita, materiales que amplían y complementan este método.

La Extensión digital para el **alumno** contiene los siguientes materiales:

- Audiciones
- Actividades interactivas extras
- Actividades colaborativas
- Test de evaluación

Recursos del alumno:
Código de acceso
98483451
www.edinumen.es/eleteca

La Extensión digital para el **profesor** contiene los siguientes materiales:

- Introducción
- Audiciones y transcripciones
- Material fotocopiable y proyectable
- Guía de actividades colaborativas
- Repaso *Para el examen final*

Recursos del profesor:
Código de acceso
Localiza tu código de acceso
en el *Libro del profesor*

En el futuro, podrás encontrar nuevas actividades. **Visita la ELEteca**

 Presentación

Espacio Joven es un curso de lengua y cultura española destinado a estudiantes jóvenes/adolescentes.

Dividido en cuatro niveles y siguiendo las directrices del *Marco común europeo de referencia* (MCER) y del *Plan curricular del Instituto Cervantes*, **Espacio Joven** conduce a la adquisición de una competencia comunicativa del **nivel B1.1**.

Organización

Cada volumen está organizado en seis unidades, precedidas de una unidad 0.

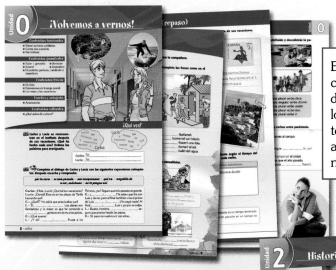

En el primer volumen, la **unidad 0** introduce al estudiante en el mundo de la lengua y de la cultura española, ofreciendo también los instrumentos indispensables para la interacción en clase. En los otros volúmenes actúa como un repaso de los contenidos del nivel anterior.

■ **Cada unidad** comienza con:

- una presentación de los objetivos comunicativos, gramaticales, léxicos, culturales y fonéticos;
- una fase de preparación para la audición de un diálogo, a través de la observación guiada de una imagen;
- un diálogo con actividades de comprensión.

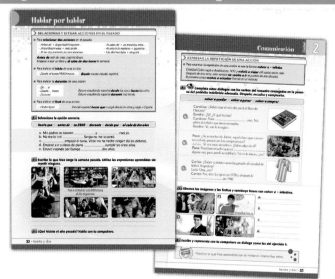

Presentación de los **objetivos comunicativos** a través de sencillos cuadros funcionales, seguidos de actividades de producción y comprensión oral.

Sistematización de los **aspectos gramaticales** gracias a cuadros con explicaciones claras y completas, y a una serie de actividades de reflexión.

El apéndice gramatical al final del libro del alumno ofrece numerosas **profundizaciones** de estos aspectos gramaticales.

Resumen y análisis de los **elementos léxicos** introducidos en el diálogo a través de la presentación de cuadros léxicos ilustrados y de actividades lúdicas y motivadoras.

Sección dedicada a los **aspectos ortográficos y fonéticos** de la lengua española.

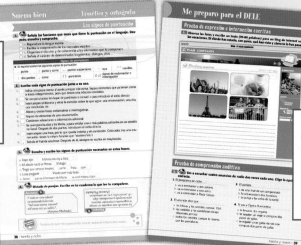

Actividad de preparación al **DELE**, concebido según el modelo de las pruebas de examen de cada nivel.

La unidad concluye con tres secciones que agrupan todos los elementos lingüísticos presentados en las páginas anteriores, permitiendo al estudiante la **utilización global y personal de las competencias adquiridas**.

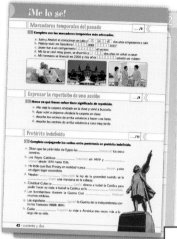

Desarrollo y profundización de uno o más **aspectos culturales** presentados en la unidad.

Actividades de **evaluación** con puntuación, que se realiza de forma autónoma.

Actividades de presentación y comprensión de un **texto escrito** (un relato) que recogen los contenidos de la unidad.

Cada dos unidades, **Espacio Joven** ofrece una batería de actividades de consolidación y repaso.

 ## Materiales complementarios

Una serie de instrumentos complementarios a disposición del estudiante que permiten la profundización, la revisión, y una **función más dinámica y diferente del curso**.

CD-ROM

- Cada nivel del curso va acompañado de un **CD-ROM interactivo** que ha sido concebido para:
  - ser un práctico instrumento de ayuda en la preparación personal, permitiendo al estudiante trabajar rápida y cómodamente desde su ordenador;
  - acceder con un simple *clic* a las audiciones del libro, vídeos, actividades interactivas multimedia y a los ejercicios de evaluación.

Cultura y civilización

- El curso se acompaña (en versión papel o en la web) de un **fascículo de Cultura y Civilización** (Geografía, Historia, Arte, Política, etc.) de España y de Hispanoamérica que puede utilizarse en el nivel A2.2 o B1.1.

Extensión web

- Cada nivel del curso está acompañado de una **extensión web**, **www.edinumen.es/eleteca** que contiene más actividades interactivas.

Índice de contenidos

Comunicación	Gramática	Léxico

UNIDAD 0: ¡Volvemos a vernos! (pág. 8)

• Narrar acciones cotidianas • Contar una anécdota • Dar órdenes	• *Estar* + gerundio • *Ser/estar* • *Ir/venir* • Imperativo • El pretérito perfecto, indefinido e imperfecto	• El clima • Expresiones de la jerga juvenil • Los viajes y las vacaciones

UNIDAD 1: ¡Ha estado genial! (pág. 14)

• Describir acciones en pasado reciente • Describir experiencias personales • Valorar una actividad o un periodo de tiempo	• Pretérito perfecto (repaso y continuación) • Pronombres de objeto directo (repaso) y de objeto indirecto • Superlativos	• Ocio y tiempo libre • Viajes • Expresiones coloquiales relacionadas con la valoración

UNIDAD 2: Historias de la vida (pág. 30)

• Situar y relacionar acciones en el pasado • Hablar de la vida de alguien	• Pretérito indefinido (repaso) y verbos irregulares en la 3.ª persona • Expresiones temporales para relacionar y situar acciones en el pasado • *Volver a* + infinitivo	• Momentos históricos • Momentos de la vida de una persona

AHORA COMPRUEBA: Repaso de las unidades 1 y 2 (pág. 46)

UNIDAD 3: ¡Qué curioso! (pág. 48)

• Hablar de hechos curiosos • Describir experiencias personales • Contar anécdotas	• Pronombres y adjetivos indefinidos • Contraste pretérito perfecto e indefinido	• Léxico relacionado con actividades de tiempo libre

UNIDAD 4: Había una vez... (pág. 64)

• Hablar del pasado • Pedir disculpas, justificarse y aceptar las disculpas de alguien	• Contraste pretérito indefinido, imperfecto y perfecto • *Soler* + infinitivo	• Léxico relacionado con la narración: cuentos, fábulas, anécdotas, noticias... • La vida en el siglo XX

AHORA COMPRUEBA: Repaso de las unidades 3 y 4 (pág. 80)

UNIDAD 5: Construyendo un futuro (pág. 82)

• Hablar de planes • Hacer conjeturas • Hacer promesas • Hablar de acciones futuras que dependen de una condición	• Futuro imperfecto regular e irregular: morfología y usos • Expresiones temporales de futuro • *Si* + presente + futuro	• Política: las elecciones • Medioambiente

UNIDAD 6: Cosas de casa (pág. 98)

• Pedir permiso, concederlo y denegarlo • Dar consejos, órdenes e instrucciones • Invitar u ofrecer	• Imperativo afirmativo y negativo • El imperativo y los pronombres	• Las tareas domésticas • Normas de convivencia • Deporte: sus reglas • Expresiones sociales

AHORA COMPRUEBA: Repaso de las unidades 5 y 6 (pág. 114)

Índice

0

¡Volvemos a vernos!

Contenidos funcionales

- Narrar acciones cotidianas
- Contar una anécdota
- Dar órdenes

Contenidos gramaticales

- *Estar* + gerundio
- *Ser/estar*
- *Ir/venir*
- Imperativo
- El pretérito perfecto, indefinido e imperfecto

Contenidos léxicos

- El clima
- Expresiones de la jerga juvenil
- Los viajes y las vacaciones

Fonética y ortografía

- Acentuación

Contenidos culturales

- ¿Qué sabes de cultura?

¿Qué ves?

1. Carlos y Lucía se reencuentran en el instituto después de sus vacaciones. ¿Qué ha hecho cada uno? Ordena las palabras para averiguarlo.

estuve Fui haciendo los a senderismo Pirineos y
Carlos

Lucía
y playas Fui haciendo Tarifa de surf estuve las a

Carlos:	Fui
Lucía:	Fui

2.  Completa el diálogo de Carlos y Lucía con las siguientes expresiones coloquiales. Después escucha y comprueba.

por la cara ○ *es una pasada* ○ *nos mosqueamos* ○ *qué va* ○ *mogollón de*
a ver, cuéntame ○ *no te pongas así*

Carlos: ¡Hola, Lucía! ¿Qué tal tus vacaciones?
Lucía: ¡Genial! Estuve en las playas de Tarifa haciendo surf.
C.: ¿¡Surf!? No sabía que practicabas surf.
L.: Sí, ...1............. Las playas son fantásticas y lo mejor es que he conocido a ....2............. gente joven de muchos países.
C.: ¡Qué suerte!
L.: ¿Y tú? ....3............. Fuiste a los Pirineos, ¿no? Seguro que te lo pasaste en grande.
C.: ¡.............4.............! Ya sabes que iba con Luis y Javier, pero al final también vino el primo de Luis ....5.............. ¡No pagó nada! Al final ....6............. Luis y yo por su culpa.
L.: Bueno, hombre, ...7............., seguro que pronto hacéis las paces.
C.: Sí, pero no vuelvo a ir con ellos...

3. ¿Y tú? ¿Dónde fuiste en las últimas vacaciones? Habla con tu compañero.

4. Estas personas están disfrutando de sus vacaciones. Completa las frases como en el ejemplo y relaciónalas con su imagen correspondiente.

10 **a.** _____Está leyendo_____ (leer) un libro.
☐ **b.** _____ (dormir) la siesta.
☐ **c.** _____ (ir) a los servicios.
☐ **d.** _____ (vestirse).
☐ **e.** _____ (construir) un castillo.

☐ **f.** _____ (bañarse).
☐ **g.** _____ (comerse) un helado.
☐ **h.** _____ (hacer) una foto.
☐ **i.** _____ (tomar) el sol.
☐ **j.** _____ (salir) del agua.

5. Observa los dibujos y completa los textos sobre el tiempo atmosférico.

En ....

a. _____ pero también _____ sol, hace más _____ que en invierno, pero menos que en verano.

En ......verano.......

b. _____ muy _____ tiempo y mucho calor, normalmente _____ a más de 30 grados.

En ....

c. _____ tiempo, hace mucho _____, algunos días llueve o _____ nublado.

En ....

d. Hace mucho _____, a veces llueve y otros días incluso _____

El pasado (repaso)

1. Lee la postal que escribió Elena a su amiga Sara el último día de sus vacaciones. Fíjate en los verbos que aparecen resaltados.

¡Hola, Sara!

¿Qué tal tus vacaciones? ¡Este verano me **lo he pasado** genial! Ya sabes que mis padres **decidieron** ir al pueblo de mis abuelos. Cuando **llegué** no me **gustó** nada el sitio. Los primeros días **me aburrí** mucho y, además, **tuve** que ir con mis padres a visitar a toda la familia, **fue** un rollo. Por suerte, hace dos semanas **conocí** a Fani, la nieta de los vecinos de mis abuelos, y desde ese día **nos hicimos** muy amigas. El viernes pasado **fuimos** a la feria del pueblo y **nos encontramos** a sus primos, **estuvimos** todo el rato con ellos y **nos divertimos** muchísimo. El mayor, Jorge, ¡es guapísimo! Creo que me gusta. Esta mañana Fani me **ha dicho** que yo también le gusto y que ayer le **pidió** mi correo electrónico. Hoy es mi último día en el pueblo, así que **he estado** toda la mañana en la piscina con Fani y después **he vuelto** a casa y os **he escrito** a todos.

Ahora te dejo porque quiero despedirme de todo el mundo y ¡todavía no **he hecho** la maleta!

Me da pena irme, pero también tengo ganas de empezar el curso para veros.

¡¡Muchos besos!! ¡Hasta pronto!

Elena

Sara Martínez Pedrosa

Avda. Reina Victoria, 123, 4.º E

28003 Madrid

2. Escribe los verbos del texto en su recuadro correspondiente según el tiempo del pasado en el que están. Después, escribe el infinitivo de cada verbo.

Pretérito perfecto	Pretérito indefinido
lo he pasado → pasar(lo)	decidieron → decidir

3. ¿Cuándo se usan estos tiempos del pasado? Completa.

- Utilizamos el pretérito .... para hablar de acciones pasadas en un tiempo terminado.
- Utilizamos el pretérito .... para hablar de acciones pasadas en un tiempo no terminado o en relación con el presente.

4. Completa el crucigrama con los verbos en pretérito indefinido y descubrirás la palabra secreta.

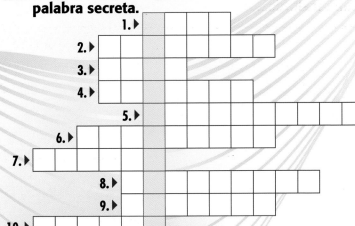

1. 1.ª persona singular del verbo *venir*.
2. 3.ª persona plural del verbo *traer*.
3. 1.ª persona singular del verbo *hacer*.
4. 3.ª persona singular del verbo *traducir*.
5. 2.ª persona singular del verbo *conducir*.

6. 2.ª persona plural del verbo *decir*.
7. 3.ª persona singular del verbo *dormir*.
8. 1.ª persona plural del verbo *andar*.
9. 3.ª persona plural del verbo *leer*.
10. 1.ª persona plural del verbo *ir*.

5. Completa las frases conjugando en pretérito perfecto los verbos entre paréntesis.

a. Este verano .... (hacer, nosotros) muchas excursiones al campo.
b. Hace un rato .... (ver, yo) a Luis en la cafetería.
c. ¿.. (estar, tú) alguna vez en Ibiza?
d. Este fin de semana .... (ponerse, yo) morena porque
.... (ir, yo) a la playa.
e. Siempre .... (querer, ellos) viajar en barco pero nunca lo
.... (hacer).
f. El viento .... (abrir) la ventana y .... (romperse) el cristal.
g. Este año .... (volver, vosotros) de vacaciones antes que el año pasado.

6. Corrige el error de cada frase.

a. Ayer ~~fui~~ al cine con mis amigos.
→ *Ayer fui al cine con mis amigos.*

b. El año pasado me lo pasamos genial en el campamento.
→ ....

c. En verano, mi hermano leió más de ocho novelas.
→ ....

d. En 1992 Barcelona celebraron los Juegos Olímpicos.
→ ....

e. Candela hice una fiesta en su casa.
→ ....

Un poco más

1. **Elige la opción correcta.**

   a. Madrid **es/está** la capital de España.

   b. El avión **es/está** más rápido que el tren.

   c. **Soy/Estoy** muy contento porque este año voy de vacaciones a la playa.

   d. En esta época del año siempre **es/está** nublado.

   e. ¿**Eres/Estás** cansado?

   f. Mi hermano **es/está** más alto que yo.

   g. Los libros **son/están** encima de la mesa.

2. **Completa la siguiente conversación telefónica con los verbos *ir* y *venir*.**

Daniel: ¿Sí?

Alberto: Hola, te llamo para saber a qué hora podemos ....1......... a tu casa para ver el partido.

D.: Podéis ....2......... cuando queráis.

A.: ¿Puede ....3......... también mi primo Javi?

D.: ¡Claro que puede ....4.........!

A.: Muy bien, entonces ....5......... sobre las seis.

D.: ¡Hasta luego!

3. **Lee el siguiente texto y pon las tildes que faltan.**

Despues de todo un año preparando el viaje por fin ya teníamos la mochila en la espalda y los billetes en la mano. Hacía mucho tiempo que María y yo soñabamos con ese día. Estabamos muy nerviosas porque era nuestro primer viaje solas, sin nuestros padres. En la estacion nos esperaban cuatro amigas mas. Todas juntas ibamos a hacer el interrail por Italia y Francia. El tren ya estaba en la vía esperandonos. Nuestro vagon era el ultimo. Por suerte, los asientos eran muy comodos, ya que era un viaje largo. Desde la ventana veía a nuestras familias diciendonos adios. El tren cerraba sus puertas, nuestra aventura comenzaba...

4. **En el texto anterior aparece otro tiempo del pasado: el pretérito imperfecto. Escribe las formas que faltan.**

	IR	SER	VER	SOÑAR	TENER
Yo					
Tú					
Él/ella/usted		era	veía		
Nosotros/as	íbamos			soñábamos	teníamos
Vosotros/as					
Ellos/ellas/ustedes		eran			

5. Observa las ilustraciones. Imagínate que tú eres el profesor de este alumno. Dale las órdenes correspondientes usando los siguientes verbos en imperativo.

cerrar ○ abrir ○ salir ○ coger ○ quitarse ○ sentarse

1. Sal a la pizarra.
2.
3.
4.
5.
6.

6. Vamos a jugar.

■ **Instrucciones:** - Convierte los enunciados en preguntas para hacérselas a tu compañero.
- Una pregunta por turno. Si responde correctamente, gana un punto.
- El primero en descifrar el texto final ¡gana un punto extra!

▶▶▶▶ ¿Qué sabes de cultura? ◀◀◀◀

Jugador A

1. El ratón que te deja dinero cuando se te cae un diente se llama:
a. Melchor.   b. Pérez.   c. Valentín.

2. Las corridas de toros están prohibidas en:
a. Madrid y Cataluña.
b. País Vasco y Cataluña.
c. Canarias y Cataluña.

3. La prensa rosa también se llama:
a. prensa del corazón.   c. *paparazzi*.
b. *reality show*.

4. El clima continental se caracteriza por:
a. inviernos fríos y veranos cortos y calurosos.
b. primaveras largas y veranos calurosos.
c. temperaturas bajas todo el año.

Respuestas: 1 b, 2 c, 3 a, 4 a.

Jugador B

1. El clima ecuatorial se caracteriza por:
a. temperaturas altas todo el año y mucha lluvia.
b. temperaturas altas todo el año y poca lluvia.
c. temperaturas suaves y mucha lluvia.

2. La prensa rosa trata sobre:
a. el trabajo de los famosos.
b. la vida personal de los famosos.
c. personas que han hecho cosas importantes.

3. Si quiero viajar barato y no me importa compartir habitación tengo que ir a:
a. un albergue.   c. un balneario.
b. una casa rural.

4. Los Reyes Magos se celebran:
a. el 6 de enero.   c. el 1 de enero.
b. el 25 de diciembre.

Respuestas: 1 c, 2 b, 3 a, 4 a.

■ **¡PUNTO EXTRA!:** K tal wpa? Qdms ste find? Tnems k abla. Llamm! A2. Bss.

¡Ha estado genial!

Contenidos funcionales

- Describir acciones en pasado reciente
- Describir experiencias personales
- Valorar una actividad o un periodo de tiempo

Contenidos gramaticales

- Pretérito perfecto (repaso y continuación)
- Pronombres de objeto directo (repaso) y de objeto indirecto
- Superlativos

Contenidos léxicos

- Ocio y tiempo libre
- Viajes
- Expresiones coloquiales relacionadas con la valoración

Fonética y ortografía

- La coma

Contenidos culturales

- Un viaje por España

Relato

- *El Camino de Santiago*

¿Qué ves?

1. Fíjate en la imagen y elige la opción correcta.

1. La imagen representa:

- a. unos chicos que llegan de un viaje cultural.
- b. unos chicos que llegan de una acampada.
- c. unos chicos que llegan del extranjero.

2. El chico de la camiseta roja lleva:

- a. un saco de dormir, un mapa y unas botas.
- b. un mapa, unas chanclas y una gorra.
- c. una gorra, un bastón y un abrigo.

2. ¿Qué imagen se corresponde con cada acción?

- a. Han caminado muchos kilómetros.
- b. Se lo han pasado muy bien.
- c. No se han perdido en la montaña.
- d. Se han protegido del sol.
- e. Han llevado todo a su espalda.

Trabajamos con el diálogo

3. **Escucha el diálogo y contesta las preguntas.**

a. ¿Qué ha hecho Paco en la montaña? ➡ ....

b. ¿Cómo se lo ha pasado Marta? ➡ ....

c. ¿Quién crees que es Javi? ➡ ....

d. ¿Cuál ha sido la mejor experiencia de Paco en la montaña? ➡ ....

e. ¿Cuál es el consejo que se desprende del diálogo? ➡ ....

4. **Lee ahora el diálogo y comprueba. Luego prepara algunas preguntas para hacer a tu compañero.**

Paco: ¡Hola, Marta! ¿Qué tal el finde?

Marta: Bueno, un poco aburrido. He estado estudiando para el examen de Historia y casi no he salido. Y tú, ¿has hecho algo interesante?

P.: ¡Yo me lo he pasado genial! Hemos estado de acampada en la sierra.

M.: ¡Qué suerte! ¿Con quién has ido?

P.: Con mi vecino y su hermano mayor, que es un experto montañero. Él nos ha enseñado a montar solos una tienda de campaña y a usar el mapa y la brújula para no desorientarnos en el campo.

M.: ¡Qué divertido! Y, ¿dónde habéis dormido?

P.: Pues en las tiendas, en nuestros sacos de dormir. Lo mejor de la excursión es que hemos visto una lluvia de estrellas por la noche. ¡Ha sido impresionante!

M.: ¿Y no os ha dado miedo encontraros con animales salvajes?

P.: ¡No hombre, no! Además, con Javi nunca pasamos miedo, él sabe qué hacer en todo momento.

M.: Claro, es verdad. Mi padre siempre dice que a la montaña hay que ir con alguien experimentado.

P.: Sí, tu padre tiene razón. La montaña es fantástica, pero también peligrosa.

M.: ¡Qué envidia! ¡Para la próxima me apunto! Y... ya que yo no me lo he pasado tan bien, ¡espero al menos aprobar el examen de Historia!

5. **Escribe, siguiendo el ejemplo, qué han hecho Paco o Marta el fin de semana.**

Paco ha aprendido a utilizar el mapa y la brújula.

....

....

....

 Practica lo que has aprendido con el material interactivo extra.

Hablar por hablar

> ## VALORAR UNA ACTIVIDAD O PERIODO DE TIEMPO

■ Para preguntar y responder sobre una **valoración** de una actividad en particular o un periodo de tiempo en general usamos:

¿Cómo ha ido el viaje?   **¿Qué tal te lo has pasado?**
¿Qué tal ha ido (el viaje)?   **¿Cómo te lo has pasado?**

Ha sido...	Lo he pasado...	Ha estado...	
genial	de miedo	de miedo	Ni fu ni fa
fantástico	genial	superbién	Regular
estupendo	estupendamente	muy bien	Más o menos
divertidísimo	superbién	guay	
muy divertido	muy bien	bien	
horrible	muy mal	mal	
terrible	fatal	muy mal	
un rollo			
aburridísimo			
un desastre			

1. Completa los diálogos y relaciónalos con las imágenes que aparecen.

> *Fatal* ○ *¡Ha sido genial!* ○ *Ni fu ni fa*

a. Natalia: ¿Qué tal el finde con María?
Jorge: ¡Bah! ...., hemos hecho lo de siempre: dar una vuelta y mirar tiendas. ¿Y tú?
Natalia: Yo he ido a ver una peli y ha estado bien.

b. Sergio: ¿Cómo te ha ido la excursión?
Alberto: ...., ¡nos ha pasado de todo! Entre otras cosas, el conductor se ha equivocado de ruta y nos ha llevado a otro pueblo...
Sergio: Sí, es verdad. En el insti me han dicho que ha sido un desastre.

c. Diana: ¿Vas a volver el año que viene al campamento de verano?
Sonia: ¡Por supuesto! ....
Diana: Sí, yo también pienso volver.

a. ☐   b. ☐   c. ☐

2. Escucha y comprueba tus respuestas.

3. Habla con tu compañero. ¿Qué tal el fin de semana?

> CALIFICAR ALGO EN SU GRADO MÁXIMO

■ En español existen dos formas de expresar una cualidad en su grado máximo:

• El **superlativo relativo** (cuando se compara una cualidad con un grupo):

*Ana es **la más** alta de la clase.*   *Juan es **el menos** listo de la clase.*
*Ana y Marta son **las más** altas de la clase.*   *Juan y Paco son **los menos** listos de la clase.*

• El **superlativo absoluto** (cuando se expresa una cualidad sin compararlo con nada):

*Ana es alt**ísima**.*   *Juan es list**ísimo**.*
*Ana y Marta son alt**ísimas**.*   *Juan y Paco son list**ísimos**.*

> Ver *Apéndice gramatical*, pág. 116

4. **Fíjate en estos recuerdos que se ha traído Albert de su viaje a España. Califícalos con los siguientes adjetivos. ¿Coincides con tu compañero?**

- El abrecartas es utilísimo/es el más útil de todos.

Abrecartas
Abanico
Guitarra española
Imán
Camiseta
Delantal
Libro de la Historia de España
Jamón serrano

útil
divertido/a
bonito/a
original
típico/a
feo/a

5. **Relaciona las dos columnas.**

1. Pedro es listísimo,   •
2. María es altísima,   •
3. Juan es divertidísimo,   •
4. Paula es buenísima en tenis, •

  • **a.** nos reímos mucho con él.
  • **b.** siempre gana los campeonatos.
  • **c.** saca muy buenas notas.
  • **d.** mide 1,76 m.

6. **¿Conoces bien a tu compañero? Hazle preguntas como en el ejemplo para saber quién de vosotros dos es…**

a. El más dormilón. → ¿Cuántas horas duermes al día?
b. El más deportista. → ....
c. El más comilón. → ....
d. El más estudioso. → ....

EXTENSIÓN DIGITAL

Practica lo que has aprendido con el material interactivo extra.

> EL PRETÉRITO PERFECTO

REPASO Y CONTINUACIÓN

■ El *pretérito perfecto* se forma con el presente de indicativo del verbo _____ + el _____ del verbo que expresa la acción.

He				
Has	cant-	_____ (verbos en -_____)		
Ha	+			
Hemos	com-	**ido** (verbos en -_____ /-_____)		
Habéis	viv-			
Han				

Participios irregulares

Abrir	➡ _____	Hacer	➡ **hecho**
Decir	➡ **dicho**	_____	➡ **roto**
Escribir	➡ _____	Ver	➡ **visto**
Poner	➡ **puesto**	_____	➡ **vuelto**

■ El *pretérito perfecto* se usa para:

- hablar de un pasado _____ : *Estos días **he tenido** que estudiar mucho.*

- hablar de un pasado en un tiempo no terminado: *Este año **he ido** a la playa.*

■ Normalmente va con estas **expresiones temporales**:
Este *fin de semana/mes/verano/año...*
Esta *mañana/tarde/semana...*
Estas *navidades/semanas...*
Estos *días/meses...*
Hace *un rato/un momento/diez minutos...*
Ya...
Todavía no...

Siempre	|||||
Muchas veces	|||||
Algunas veces	|||||
N.º de veces	|||||
Una vez	|||||
Ninguna vez	|||||
Nunca	|||||
Jamás	|||||

---

1. **Ana está escribiendo en su diario lo que ha hecho el fin de semana. Completa los espacios utilizando los siguientes verbos en pretérito perfecto.**

hablar ○ hacer ○ ir ○ ayudar ○ decir ○ volver ○ ver ○ terminar ○ escribir ○ poder

Este fin de semana ....1....... muchas cosas: ....2.......
a mi madre a hacer la compra, ...3....... un texto
sobre el medioambiente para el instituto, ...4....... con mi padre
por teléfono porque está en Barcelona y me ....5....... que
es una ciudad muy interesante. ....6....... al cine con mis amigos del cole y ....7....... una película de terror. Lo malo es
que M. no ....8....... venir porque está enfermo... Hace un rato
.......9....... a casa y ....10....... los deberes de mañana.
Buenas noches, diario, ¡mañana espero ver a M. y contarte!

2. **Escribe algo que has hecho o que no has hecho.**

Hace un rato	➡	....
Este año	➡	....
Este fin de semana	➡	....
Todavía no	➡	....
Nunca	➡	....

3. **Ahora compáralo con tu compañero, ¿coincidís en algo?**

PRONOMBRES DE OBJETO DIRECTO E INDIRECTO

REPASO Y CONTINUACIÓN

	Objeto directo		Objeto indirecto
Yo	me		me
Tú	te		te
Él/ella/usted		/	le (se)
Nosotros/as	nos		nos
Vosotros/as	os		os
Ellos/ellas/ustedes		/	les (se)

*He cogido las llaves y **las** he metido en el bolso.* **Le** *he dicho a Javier la verdad.*

■ Al combinarse, el orden de los pronombres es siempre: objeto indirecto + objeto directo.

▶ *¿Dónde has dejado mi libro?*

▶ **Te lo** *he dejado encima de la mesa.*
   a ti el libro

■ Cuando los pronombres de objeto indirecto *le* o *les* van antes de *lo, la, los, las*, cambian a *se*.
(El libro, a él) ➡ **Le lo** *he dejado encima de la mesa.* > **Se lo** *he dejado encima de la mesa.*

■ Los pronombres van normalmente delante del verbo: **Me lo** *ha contado Carolina.*

■ Cuando el verbo es un imperativo afirmativo, infinitivo o gerundio, los pronombres van después del verbo, formando una sola palabra: *Carolina, cuénta**melo**.*

4. **Completa con el pronombre de objeto indirecto adecuado.**

a. .... he dado a mi hermana su regalo de cumpleaños. (a ella)

b. ¿.............. dejas tu diccionario, por favor? (a mí)

c. La profesora .... manda siempre muchos deberes. (a nosotros)

d. A Carlos y a Juan también .... dije el día de mi cumpleaños. (a ellos)

5. **Relaciona cada frase con la imagen correspondiente.**

a. Se lo ha contado.   b. Se la ha puesto.   c. Se la ha explicado.   d. Se las ha regalado.

1

2

3

4

6. **Completa los espacios en blanco con el pronombre de objeto correspondiente a las palabras entre paréntesis.**

Hoy me he enfadado con mi hermana. Me ha pedido una camiseta y yo (a ella).............. he dicho que (a ella).............. (la camiseta).............. dejaba, pero si no (la camiseta).............. estropeaba. Ella (a mí).............. ha dicho que vale, pero a los diez minutos (a mi hermana).............. he visto sentada en el sofá comiendo chocolate y justo en ese momento... ¡(la camiseta).............. ha manchado de chocolate!

EXTENSIÓN DIGITAL

Practica lo que has aprendido con el material interactivo extra.

Palabra por palabra

1. Observa las fotos y completa los espacios con los siguientes verbos.

> *hacer* ○ *jugar* ○ *esquiar* ○ *patinar* ○ *montar* ○ *ir*

.... de *camping*.

.... senderismo.

.... en bicicleta.

.... de tapas.

.... surf.

.... a caballo.

....

.... *puenting*.

.... al tenis.

....

.... a la consola.

.... al ajedrez.

2. **Escucha y comprueba.**

3. Escribe otras actividades que te gusta hacer y que no están en el ejercicio 1.

....

....

4. Ahora, habla con tu compañero y pregúntale si ha hecho alguna vez esas actividades.

> ¿Qué no ha hecho nunca?
>
> ¿Qué es lo que más veces ha hecho?
>
> ¿Qué es lo que más le apetece hacer en el futuro?

En el hotel

5. Lee el diálogo y contesta verdadero (V) o falso (F).

Recepcionista: Hostal Las Marismas, ¿dígame?
Cliente: Hola, buenos días, quería **reservar** una habitación para esta noche.
R.: ¿Para cuántas personas?
C.: Somos tres.
R.: ¿Cuántas noches van a estar?
C.: Dos.
R.: Tenemos una habitación libre con una cama doble y una individual.
C.: Perfecto, ¿cuánto cuesta?
R.: Son 70 € por noche, **media pensión**.
C.: Nosotros solo queríamos **alojamiento** y desayuno.
R.: Esta es una oferta que tenemos ahora en noviembre por ser **temporada baja**, les va a costar lo mismo solo el alojamiento que la media pensión.
C.: ¿La media pensión incluye el desayuno y la comida o el desayuno y la cena?

R.: Pueden elegir lo que quieran.
C.: Pues, mejor la cena porque pensamos estar todo el día fuera.
R.: Muy bien. ¿A nombre de quién va a hacer la reserva?
C.: Póngala a nombre de Roberto Sánchez.
R.: ¿Un número de contacto, por favor?
C.: El 611 76 54 98.
R.: De acuerdo, pues ya queda hecha su reserva, les esperamos esta noche.
C.: Muy bien, hasta luego.

a. El cliente ha pedido tres habitaciones. ☐ V ☐ F
b. En noviembre no va mucha gente. ☐ ☐
c. En el precio se incluyen dos comidas al día. ☐ ☐
d. El cliente solo quiere saber si hay habitación. ☐ ☐

6. ¿Qué frases de las anteriores relacionas con las siguientes palabras?

1. Alojamiento ☐
2. Temporada baja ☐
3. Reservar ☐
4. Media pensión ☐

7. ¿Qué crees que significa? Escribe una definición para cada expresión.

- Temporada alta: ....
- Pensión completa: ....

8. Habla con tu compañero: uno es el recepcionista y otro es el cliente que quiere reservar un fin de semana en el hotel (es temporada alta).

 Practica lo que has aprendido con el material interactivo extra.

La coma

1. 🎧**5** **Escucha y marca la opción correcta.**

1.
a. El examen es el lunes no, el martes.
b. El examen es el lunes, no el martes.
c. El examen es el lunes o el martes.

3.
a. No, es el miércoles.
b. No es el miércoles.
c. ¿No es el miércoles?

2.
a. Ya, te lo dije.
b. Ya te lo dije.
c. ¡Ya te lo dije!

4.
a. No lo recuerdo.
b. No, lo recuerdo.
c. ¡No lo recuerdo!

Usos de la coma

■ Se usa la coma:

• para separar **palabras** o **frases de una misma clase**, sino van separadas de *y*, *ni*, *o*.
Antonio, Juan, María y Luis me han dicho que vienen a la fiesta.
Este fin de semana hemos ido al campo, hemos dormido al aire libre y hemos visto las estrellas.

• para separar **incisos** (explicaciones en el interior de una frase).
Carlos, el chico que te presenté, se ha ido a vivir a Francia.

• después de un **vocativo**.
Lucas, sal a la pizarra.

• con expresiones como: *o sea*, *es decir*, *además*, *sin embargo*, *bueno*, *por último*…
Bueno, ¿me lo vas a contar o no?

2. **En las siguientes frases han desaparecido las comas. Léelas y coloca las que se necesiten.**

a. Daniel el chico al que conociste que te ha escrito esta semana por Internet juega en un equipo de baloncesto con mi hermano.

b. Verónica chica tómate unas vacaciones. Tienes que ir al campo disfrutar del aire libre relajarte y escuchar el cantar de los pájaros.

c. Patricia es muy aventurera: ha hecho *puenting* surf y todos los fines de semana se va de acampada.

3. 🎧**6** **Dictado.**

Esta tarde, he ido a la biblioteca, he hecho los deberes y vuelto a casa.

EXTENSIÓN DIGITAL

Practica lo que has aprendido con el material interactivo extra.

Me preparo para el DELE

Prueba de comprensión de lectura

1. Selecciona un texto para cada enunciado. ¡Cuidado!, sobran tres imágenes.

- **1.** No va a abrir durante el mes de agosto.
- **2.** Solo se puede pagar en efectivo.
- **3.** El cajero no funciona.
- **4.** Hay que pagar con el dinero justo.

Prueba de comprensión auditiva

2. Vas a escuchar una conversación entre un recepcionista y una cliente. Lee las preguntas y selecciona la opción correcta.

1. La mujer va a alojarse en...

a.

b.

c.

2. La mujer prefiere...
- a. la casa con piscina.
- b. la casa con barbacoa.
- c. la casa compartida.

3. La oferta que prefiere la mujer es...
- a. la excursión a caballo por el río.
- b. el paseo en barca por el río.
- c. la pensión completa.

4. La mujer pregunta...
- a. si puede pagar con tarjeta.
- b. si admiten animales.
- c. si hay animales en el jardín.

5. La reserva no se puede hacer sin...
- a. el número de teléfono.
- b. el número de la tarjeta de crédito.
- c. la dirección de su casa.

Un viaje por España

1. Leonard, un chico alemán, ha pasado unos meses en España. Ahora, en la playa, relee en su agenda todo lo que ha hecho, pero la agenda se ha mojado. Ayuda a Leonard a reconstruir las palabras que se han borrado.

Santiago de Compostela · Pamplona · Barcelona · Valencia · Ibiza · Granada · Lanzarote · Tarifa

19 de marzo:

He estado en ___1___: una ciudad llena de luz, he visitado la Ciudad de las Artes y de las Ciencias y he disfrutado de la fiesta más importante: Las Fallas, en las que se queman unas figuras de cartón llamadas *ninots*… Estas fiestas siempre son a mediados de marzo y son increíbles. ¡Nunca he visto una fiesta igual! También he probado ___2___, que está riquísima.

27 de marzo:

Hoy en ___3___ he visto la arquitectura modernista de Antoni Gaudí, como La Pedrera y La Sagrada Familia, todavía en construcción y desde la que se puede ver toda la ciudad. ___4___ un partido de fútbol del Barça, el equipo de la ciudad, y después he paseado por las Ramblas. ¡Había muchísima ___5___!

12 de abril:

Este finde he ido a ___6___, he esquiado en la nieve y ___7___ la Alhambra, una impresionante ciudad amurallada árabe del siglo XIII. Por la noche ___8___ de tapas, ¡se sirven gratis con la bebida!

15 de mayo:

He estado en ___9___, una isla del archipiélago canario conocida como la "isla de los volcanes". He visitado el Parque Nacional de Timanfaya y ___10___ en camello. El paisaje es tan increíble que por un momento ¡he creído estar en otro planeta!

4 de junio:

He estado en _____ 11 _____ y he hecho surf en sus playas, donde hay mucha gente haciéndolo. Por la tarde _____ 12 _____ un espectáculo flamenco, pero lo que más me ha gustado ha sido el _pescaíto frito_ que puedes _____ 13 _____ en cualquier sitio y que es ¡superbarato!

7 de julio:

Ayer en _____ 14 _____ empezaron los Sanfermines. Están de fiesta hasta el día 14. Es una de las fiestas más populares de España. Todo el mundo viste de _____ 15 _____ con un pañuelo _____ 16 _____ y los más valientes corren por las calles delante de los _____ 17 _____. ¡Ha sido divertidísimo!

25 de julio:

Hoy he visitado la Catedral de _____ 18 _____, donde está enterrado el apóstol Santiago y donde miles de peregrinos llegan haciendo el Camino de Santiago. Después, hemos ido a un restaurante ¡ _____ 19 _____ un marisco buenísimo!

7 de agosto:

Ahora estoy en otra isla, _____ 20 _____, que pertenece a las Islas Baleares. Me _____ 21 _____ en unas playas preciosas y he salido todos los días. Aquí hay mucha gente joven y ¡mucha fiesta! ¡Me lo _____ 22 _____ de miedo!

2. Leonard pasa una semana en Madrid, pero como ha estado en tantas ciudades, ha mezclado la información. Busca tres errores sobre Madrid en el correo electrónico que le escribe a su amigo Edwin. ¿A qué otra ciudad se refieren los errores?

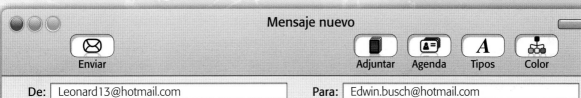

Mensaje nuevo

✉ Enviar | Adjuntar | Agenda | _A_ Tipos | Color

De: Leonard13@hotmail.com   **Para:** Edwin.busch@hotmail.com

¡Hola, Edwin! Hoy estoy en Madrid, la capital de España. Esta mañana hemos visitado los tres museos más importantes de la ciudad: el Prado, el Reina Sofía (donde se encuentra el cuadro más famoso de Picasso, _El Guernica_), y el Thyssen-Bornemisza. Después, hemos visitado La Sagrada Familia de Gaudí y hemos comido un bocadillo de calamares en la Plaza Mayor. Por la tarde, hemos visto un partido de fútbol en el Camp Nou, el estadio del Barça, y después hemos celebrado su victoria en la fuente de la Cibeles. Ahora me voy a la cama, estoy muy cansado y mañana queremos ir al Rastro, un mercadillo donde puedes comprar ropa y artículos de segunda mano. Por la tarde, vamos a dar un paseo por Las Ramblas antes de marcharnos de Madrid...

Un abrazo,

Leonard.

3. Escribe un correo parecido al de Leonard de un lugar al que has ido. Incluye tres errores. Tu compañero tiene que adivinarlos.

 EXTENSIÓN DIGITAL

Practica lo que has aprendido con el material interactivo extra.

¡Me lo sé!

Hacer valoraciones ..../6

1. ¿Cómo te lo has pasado? Ordena de mejor a peor.

ni fu ni fa ○ *de miedo* ○ *mal* ○ *guay* ○ *muy bien* ○ *fatal*

1.	2.	3.	4.	5.	6.

Los superlativos ..../5

2. Escribe un adjetivo superlativo para cada medio de transporte.

Es el más... ....

Es... ....ísimo.

Es el más... ....

Es... ....ísimo.

Es... ....ísimo.

El pretérito perfecto ..../5

3. Relaciona las dos columnas.

1. Describir o narrar acciones sucedidas en un pasado reciente.

2. Describir o narrar acciones sucedidas en un periodo de tiempo no terminado.

3. Expresar la realización o no de un hecho hasta el presente.

4. Valorar una actividad o periodo de tiempo.

5. Hablar del número de veces que se ha hecho algo.

- a. La película que hemos visto ha sido genial.
- b. He ido muchas veces de acampada.
- c. Hace un rato he visto a Juan.
- d. Esta semana he estudiado mucho en el instituto.
- e. Nunca me he tirado en paracaídas.

Los pronombres de objeto directo e indirecto ..../5

4. Relaciona.

1. Se la diré.
2. Se lo daré.
3. Te los he traído.
4. Me lo ha contado.
5. Nos la ha explicado.

- a. Los videojuegos que me pediste.
- b. Que Pedro y Ana se han enfadado.
- c. La lección en clase.
- d. La verdad a mis padres.
- e. El libro a Luis.

Las actividades de tiempo libre y el hotel

......../10

5. **Completa los espacios con las palabras del recuadro.**

> *patinar ○ saco ○ montar ○ hacer ○ alojamiento ○ jugar*
> *temporada baja ○ ir ○ tienda ○ reserva*

a. Como no hemos desayunado, comido ni cenado en el hotel solo hemos pagado el ....

b. Yo siempre prefiero viajar en .... porque en esa época es más económico.

c. Será muy difícil encontrar alguna habitación libre durante un puente. Ya te dije que era mejor hacer la .... antes de venir.

d. ► A mí, los deportes que más me gustan son .... a caballo y .... surf.
► Pues a mí, ... y .... al tenis.

e. Para .... de *camping*, necesitas una .... de campaña y un .... de dormir.

La coma

......../4

6. **Escribe coma en caso necesario.**

a. Voy a comprarme una camiseta un pantalón y unos zapatos.

b. Marta mi prima ha venido a dormir a mi casa este jueves.

c. Papá ¿puedes venir a recogerme a la estación?

d. Este fin de semana no he podido salir porque he tenido que estudiar.

Un viaje por España

......../4

7. **Relaciona cada foto con su frase correspondiente y escribe su nombre.**

a ☐

b ☐

c ☐

d ☐

1. Se empezó a construir en 1882 y aún no está terminada. Es la obra maestra de Gaudí.

2. Es conocida por sus volcanes, que cubrieron de lava la isla en el siglo XVIII.

3. Es una de las comidas más típicas de España. Su ingrediente principal es el arroz.

4. Es un conjunto de palacios con fuentes y jardines rodeados por una fortaleza.

EXTENSIÓN DIGITAL

Practica lo que has aprendido con el material interactivo extra.

Érase una vez...

1. Relaciona cada palabra con su definición.

a. Conjunto de estrellas.

1. Puesta de sol •

b. Personaje fantástico y que da miedo.

2. Ermitaño •

c. Lugar donde puedes dormir y que suele ser muy barato o gratis.

3. Decapitar •

4. Albergue •

d. Cantidad de dinero que voluntariamente das a alguien o que pagas por un servicio.

5. Monstruo •

e. Cortarle la cabeza a alguien.

6. La voluntad •

f. Persona que vive sola y aislada, sin relacionarse con el mundo.

7. Vía Láctea •

8. Tumba •

g. Lugar donde se mete el cuerpo de un muerto.

h. Cuando se termina el día y el sol se esconde.

2. Lee el texto.

1 de julio

Querido diario:

Como ya sabes, hoy he empezado el Camino de Santiago. Voy a estar un mes haciendo la ruta que va desde Roncesvalles hasta Santiago de Compostela.

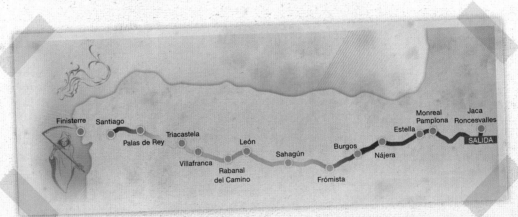

Esta ruta coincide con la Vía Láctea y, desde hace mucho, las personas la siguen porque es un camino mágico, lleno de leyendas y misterios. Los hombres venían de toda Europa y se dirigían hacia Finisterre. En aquella época se pensaba que ahí terminaba el mundo al ser el punto situado más al oeste de Europa, donde moría el sol. Creían que en esas aguas había monstruos. Hoy en día esa zona se conoce con el nombre de *Costa da Morte*, que en español significa "Costa de la Muerte".

Hoy ha empezado mi aventura. He caminado 25 km, estoy cansadísimo y ¡todavía me falta mucho! Ahora estoy en el albergue, que está muy bien. A lo largo de toda la ruta hay un montón de albergues donde puedes dormir y comer algo sin pagar nada o solo la voluntad.

Durante la comida, una señora mayor nos ha contado la leyenda de Santiago. Santiago era uno de los doce apóstoles de Jesucristo que vino a Hispania para cristianizarla. En aquella época estaba prohibido predicar la religión cristiana, así que cuando volvió a su casa, a Palestina, fue decapitado por el rey Herodes. Dos apóstoles robaron el cuerpo y lo llevaron de nuevo a Galicia, a un pueblo que hoy se llama Padrón. Ahí vivía una reina muy mala que se llamaba Lupa. Cuando los apóstoles bajaron del barco, la reina, para reírse de ellos, les dio dos toros salvajes para que tiraran del carro donde transportaban a Santiago. Dice la leyenda que, inexplicablemente, los toros lo llevaron tranquilamente hasta un bosque donde los apóstoles lo enterraron. Siglos más tarde, un ermitaño vio una fuerte luz sobre aquel bosque y encontró la tumba. A ese lugar le llamaron *Compostela*, que significa "campo de las estrellas". A partir de entonces, la gente empezó a hacer el camino para ver la tumba del apóstol, que hoy se encuentra en la Catedral de Santiago, y muchos continúan la ruta hasta Finisterre para ver la puesta de sol.

La verdad es que ha sido una historia interesantísima. Creo que en este viaje voy a aprender mucho. Ahora ya me voy a dormir que mañana va a ser un día duro…

3. **Contesta las siguientes preguntas.**

a. ¿En qué ciudad ha empezado la ruta? → ....

b. ¿Cuándo empieza su viaje? → ....

c. ¿Qué estación del año es? → ....

d. ¿Por qué la gente empezó a hacer esta ruta? → ....

e. ¿Dónde está escribiendo? → ....

f. ¿Quién le ha contado la historia de Santiago? → ....

g. ¿Cuánto le ha costado el alojamiento? → ....

h. ¿Cómo murió Santiago? → ....

4. **Con tu compañero, haz una lista de las cosas que necesita nuestro amigo para hacer el camino. Aquí tienes algunas ideas. Justifica tus respuestas.**

- Necesita llevar una cantimplora porque es un viaje largo y...

Bastón

Crema

Tiritas

Cantimplora

Historias de la vida

Contenidos funcionales

- Situar y relacionar acciones en el pasado
- Hablar de la vida de alguien

Contenidos gramaticales

- Pretérito indefinido (repaso) y verbos irregulares en la 3.ª persona
- Expresiones temporales para relacionar y situar acciones en el pasado
- *Volver a* + infinitivo

Contenidos léxicos

- Momentos históricos
- Momentos de la vida de una persona

Fonética y ortografía

- Los signos de puntuación

Contenidos culturales

- Arturo Pérez-Reverte

Relato

- *El capitán Alatriste*

Luis **Ana** **María**

¿Qué ves?

1. Fíjate en la imagen: ¿qué asignatura crees que están estudiando?

2. Escribe el nombre de cada estudiante según la época de la historia de España en la que están pensando.

	Estudiante
a. La época de los Reyes Católicos y Cristóbal Colón.	
b. La llegada de los romanos.	
c. La llegada de los musulmanes a la Península Ibérica en el siglo VIII d. C.	

3. Relaciona.

1. Al-Ándalus es el nombre que se le dio a los territorios de la Península Ibérica bajo dominio musulmán.

2. La Reconquista de la Península contra la dominación árabe finalizó en 1492 con los Reyes Católicos.

3. Hacia el año 200 a. C. gran parte de la Península Ibérica empezó a formar parte del Imperio romano.

4. Las naves que llegaron a América con Colón fueron la Pinta, la Niña y la Santa María.

Trabajamos con el diálogo

4. 🎧 **8** **Escucha el diálogo y contesta las preguntas según lo que dicen Luis, Ana y María.**

Luis: ¿Qué te pareció la clase de ayer?

Ana: Muy interesante, pero la historia reciente es la que más me gusta. Como son hechos que ocurrieron hace menos tiempo, los imagino mejor.

María: Pues a mí me gustan más otras épocas. ¿Os acordáis de la clase del otro día, cuando el profe nos explicó cómo llegó Colón a América?

A.: Sí, ya me acuerdo. Colón fue a ver a los Reyes Católicos porque en Portugal no consiguió el dinero para el viaje.

L.: A mí lo que me gusta de esa época es que, hasta que los Reyes Católicos expulsaron a los judíos y musulmanes, convivieron tres culturas en España.

M.: Y, además, los árabes dejaron una huella muy importante, no solo en sus monumentos sino en la cultura, la ciencia, la lengua…

A.: Ya, pero la huella que dejaron antes los romanos fue también muy profunda, en muchas ciudades españolas hay obras arquitectónicas suyas, puentes…

L.: Sí, pero a mí lo árabe me parece más exótico, no sé, más diferente, ¿no?

A.: Puede ser, de todas formas, prefiero la historia reciente. Además, quiero saber muchas más cosas de la historia de España.

M.: Bueno, muchas más no, que luego tenemos que estudiarlas para el examen…

L.: ¡Ja, ja! Tienes razón…

a. ¿Por qué le gusta más a Luis la época de dominación árabe que la romana? ➡ ....
....

b. ¿Qué prefiere estudiar Ana? ¿Por qué? ➡ ....

c. ¿A quién pidió ayuda Colón antes de a España para realizar su viaje? ➡ ....

d. ¿Qué otra cultura crees que convivió en España con judíos y musulmanes antes de su expulsión? ➡ ....

5. **Selecciona la imagen correcta en el siguiente texto.**

Los (1) [⬛⬛⬛] llegaron a la Península Ibérica sobre el año 206 a. C. y estuvieron hasta el siglo V d. C. Siglos más tarde, en el 711 llegaron desde el norte de África los (2) [⬛⬛⬛]. Tras más de siete siglos de Reconquista, los (3) [⬛⬛] expulsaron a los últimos (4) [⬛⬛] con la conquista del reino de Granada. Los (5) [⬛⬛⬛] financiaron el viaje de (6) [⬛⬛] a América. Lo curioso es que cuando (7) [⬛⬛] llegó allí ¡pensó que estaba en Asia!

Practica lo que has aprendido con el material interactivo extra.

Hablar por hablar

> ## RELACIONAR Y SITUAR ACCIONES EN EL PASADO

- Para **relacionar dos acciones** en el pasado:

  - Antes de + llegar/salir/empezar…
  - Años/días/meses + más tarde…
  - A los dos meses/a las tres semanas…

  - Al cabo de + un mes/dos años…
  - Al año/a la mañana + siguiente…
  - Un día/mes/año + después…

  Antes de *salir de casa, cogí las llaves.*
  *Empecé a leer un libro y **al cabo de dos horas** lo terminé.*

- Para expresar el **inicio** de una acción:

  - Desde el lunes/1980/marzo…   ***Desde*** *marzo estudio español.*

- Para expresar la **duración** de una acción:

  - De… a
  - Desde… hasta
  - Durante

  *Estuve estudiando español **desde** las cinco **hasta** las ocho.*
  *Estuve estudiando español **durante** tres horas.*

- Para expresar el **final** de una acción:

  - Hasta (que)   *Estudié español **hasta que** cumplí dieciocho años y viajé a España.*

1. **Selecciona la opción correcta.**

> *hasta que* ○ *antes de* ○ *en 2000* ○ *durante* ○ *desde que* ○ *al cabo de dos años*

  a. Mis padres se casaron .... y .... nací yo.
  b. No me lo creí .... Sergio no me lo contó.
  c. .... empezó el curso, Víctor no ha hecho ningún día los deberes.
  d. Empecé a ir a clases de piano .... cumplir los cinco años.
  e. Estuve viajando por Europa .... dos años.

2. **Escribe lo que hizo Jorge la semana pasada. Utiliza las expresiones aprendidas sin repetir ninguna.**

Fue a estudiar a la biblioteca al día siguiente.

3. **¿Qué hiciste el año pasado? Habla con tu compañero.**

> **EXPRESAR LA REPETICIÓN DE UNA ACCIÓN**

■ Para expresar la repetición de una acción se usa la forma **volver a** + **infinitivo**.

*Cristóbal Colón viajó a América en 1492 y **volvió a viajar** allí varias veces más.*
*Después de tres años, este verano **he vuelto a ir** al pueblo de mis abuelos.*
*El próximo curso **vuelvo a estudiar** francés en el instituto.*

4. 🎧**9** Completa estos diálogos con los verbos del recuadro conjugados en la persona del pretérito indefinido adecuada. Después, escucha y comprueba.

volver a quedar ○ *volver a ganar* ○ *volver a comprar*

a. **Carolina:** ¿Sabes que el otro día perdí el libro de Historia?
Sandra: ¿Sí? ¿Y qué hiciste?
Carolina: Pues .... otro. No sabes el enfado que tiene mi madre…
Sandra: Ya, me lo imagino.

b. **Paco:** ¿Te acuerdas de Jaime, aquel chico que conocimos el año pasado en los campamentos?
Julián: Sí, era muy simpático. ¿Sabes algo de él?
Paco: Pues hace mucho que no. .... alguna vez, pero perdí su teléfono. Tú no lo tienes, ¿no?

c. **Carlos:** ¿Sabes cuántas veces ha ganado el mundial de fútbol Argentina?
Luis: Una, ¿no?
Carlos: No, dos. Lo ganó en 1978 y después lo .... en 1986.

5. Observa las imágenes y las fechas y construye frases con *volver a* + infinitivo.

Mi tío/1995/2010

Examen/diciembre/marzo

Elecciones/Presidente/2004/2008

Luisa/Óscar/1999/2002

a. ....
b. ....
c. ....
d. ....

6. Escribe y representa con tu compañero un diálogo como los del ejercicio 4.

 EXTENSIÓN DIGITAL Practica lo que has aprendido con el material interactivo extra.

Paso a paso

	Viajar	Volver	Salir
Yo	viaj**é**	volv	sal**í**
Tú	viaj	volv**iste**	sal
Él/ella/usted	viaj**ó**	volv	sal**ió**
Nosotros/as	viaj	volv**imos**	sal
Vosotros/as	viaj**asteis**	volv	sal**isteis**
Ellos/as/ustedes	viaj	volv**ieron**	sal

■ Recuerda: - la 2.ª y 3.ª conjugación tienen las mismas _____.
- la 1.ª persona del plural es igual a la del presente de indicativo en la 1.ª y 3.ª conjugación _____.

1. Busca en la sopa de letras ocho verbos en pretérito indefinido. Aquí tienes una pista de cada verbo.

1. Lo contrario de *entrar* (3.ª persona singular).
2. Lo hacen con un boli y un papel.
3. Lo contrario de *encontrar* (1.ª persona singular).
4. Cuando tienen que tomar una *decisión*.
5. Lo contrario de *irse* (1.ª persona plural).
6. Cuando vais a México, a Cuba, a Francia...
7. Cuando ves a alguien por primera vez.
8. Lo contrario de *perder* (1.ª persona singular).

```
c o n o c i s t e r d
f f g j a b o u i l f
a g s e l y ó o i o e
d e c i d i e r o n e
h y e n c o n t r é v
e t r o e ó s b o t o
s v u e i v e i v s l
c o i l s b o a i a v
r g a p i p r i a m i
i s a a e n n o j b m
b e o i e r r t a n o
i h a w l d d t s h s
e ó b a l ú o í t l f
r f v s i e v o e o e
o a s q m f o j i s e
n f r e i a x a s u n
```

2. Escribe frases con seis de esos verbos.

a. ....
b. ....
c. ....
d. ....
e. ....
f. ....

3. Piensa en otros tres verbos regulares en pretérito indefinido y escribe una pista como en el ejercicio 1. Tu compañero tiene que adivinar de qué verbo se trata.

a. ....
b. ....
c. ....

34 · treinta y cuatro

> VERBOS IRREGULARES en la 3.ª persona

■ Algunos verbos de la 3.ª conjugación presentan un cambio vocálico en la 3.ª persona del singular y plural.

	E > I **Pedir**	O > U **Dormir**	I > Y **Construir**
Yo	pedí	dormí	construí
Tú	pediste	dormiste	construiste
Él/ella/usted	pidió	durmió	construyó
Nosotros/as	pedimos	dormimos	construimos
Vosotros/as	pedisteis	dormisteis	construisteis
Ellos/ellas/ustedes	pidieron	durmieron	construyeron

> **Otros verbos con estas irregularidades,** *Apéndice gramatical*, **pág. 118**

> OTROS VERBOS IRREGULARES

REPASO Y CONTINUACIÓN

a. ¿Cómo se conjugan los verbos *ser/ir* y *dar* en pretérito indefinido?

	Ser/Ir	Dar		Ser/Ir	Dar
Yo			Nosotros/as		
Tú			Vosotros/as		
Él/ella/usted			Ellos/ellas/ustedes		

b. ¿Cómo cambian su raíz algunos verbos irregulares?

a. Hacer ➡ _____   **c.** Poder ➡ _____   **e.** Estar ➡ _____

b. Querer ➡ _____   **d.** Tener ➡ _____   **f.** Caber ➡ _____

> **Ver** *Apéndice gramatical*, **pág. 119**

4. **Completa el texto conjugando los verbos entre paréntesis en pretérito indefinido. ¿Sabes de qué famoso artista español habla?**

_____1_____ (nacer) en Málaga en 1881 y _____2_____ (morir) en Mougins, Francia en 1973. _____3_____ (seguir) los pasos de su padre José Ruiz Blasco, que _____4_____ (ser) artista, profesor de arte y su maestro. _____5_____ (hacer) sus primeros dibujos a lápiz. _____6_____ (aprender) con los dibujos de su padre y los _____7_____ (repetir) con una perfección increíble para un niño de su edad. Cuentan que una vez le _____8_____ (pedir) a su padre un lápiz y un papel y _____9_____ (dibujar) unas palomas tan perfectas que su padre _____10_____ (sentirse) peor artista que su propio hijo. Hoy en día está considerado el artista más importante del siglo XX y uno de los que más _____11_____ (influir) en el desarrollo del arte moderno.

5. **Clasifica los verbos que han aparecido en el texto.**

Regulares	Irregulares E>I (3.ª p.)	Irregulares O>U (3.ª p.)	Irregulares I>Y (3.ª p.)	Otros irregulares
nació,				

EXTENSIÓN DIGITAL   Practica lo que has aprendido con el material interactivo extra.

1. Sergio está viendo con su abuela el álbum de fotos familiar. Relaciona las fotografías con lo que cuenta la abuela de Sergio.

1. Esta es del primer día que tu padre **fue** a la Universidad. **Se licenció** cinco años después.

2. Tu padre y tu madre **se conocieron** en la fiesta de cumpleaños de un amigo de la facultad. **Se enamoraron** en el momento en el que se vieron.

3. Cuando tus padres empezaron a salir tu padre le regaló a tu madre un anillo precioso que desde entonces siempre lleva puesto.

4. El día que **se casaron** tus padres, tu madre se enfadó mucho porque en lugar de ser ella la que llegó tarde a la boda ¡¡fue tu padre!!

5. El día que tu abuelo **se jubiló** compró dos billetes de avión y nos fuimos de vacaciones a Mallorca.

6. Cuando **naciste**, todos nos pusimos muy contentos y fuimos al hospital a verte todos tus abuelos.

7. Esta foto es del día que tu padre **empezó a trabajar** como arquitecto. Todavía recuerdo lo nervioso que estaba ese día.

8. El primer día que **fuiste** al colegio estuviste llorando hasta que tu madre te recogió por la tarde.

2. Ordena cronológicamente los verbos resaltados en la vida de una persona, según tu opinión. Compara con tu compañero, ¿coincidís?

1. _____nacer_____   6. _____

2. _____   7. _____

3. _____   8. _____

4. _____   9. _____

5. _____   10. _____

3. Cuéntale a tu compañero la historia de tu familia. ¿Coincidís en muchas cosas? ¿Qué es lo más curioso que te ha contado tu compañero?

Mi abuelo nació en Almería y mi abuela en un pueblecito de Málaga. Se conocieron a los 15 años en...

Momentos históricos

4. Relaciona las palabras de la columna de la izquierda con las de la derecha según su significado.

1. **Invadir:** entrar en un país por la fuerza de forma inesperada.

2. **Reinar:** solo lo pueden hacer los reyes.

3. **Descubrir:** ver o encontrar algo por primera vez.

4. **Guerra:** lucha entre naciones o partes de una nación.

5. **Ganar:** obtener la victoria sobre el enemigo.

a. **Explorar:** reconocer o examinar con detenimiento un lugar nuevo.

b. **Batalla:** cada una de las luchas que se producen dentro de un conflicto armado.

c. **Conquistar:** ganar mediante una guerra un territorio.

d. **Vencer:** derrotar o rendir al enemigo.

e. **Gobernar:** lo puede hacer un rey o un político.

Luchar en una *batalla*. / *Combatir* en una *guerra*.
Ganar una *batalla*, una *guerra*...

5. Completa la siguiente tabla según el ejemplo.

Verbo	Nombre	Verbo	Nombre
....	reino/reinado	conquistar	....
descubrir	....	....	gobierno
vencer	*victoria*	....	exploración

6. Lee los siguientes textos sobre la vida de dos personajes históricos y completa los espacios con algunas de las palabras del ejercicio anterior.

Rodrigo Díaz, conocido como el Cid Campeador, nació en Burgos en 1043. Fue un caballero castellano que ....1......... en el Levante de la Península Ibérica sin querer someterse a la autoridad del rey, ganándose así la enemistad de este.

Luchó en numerosas batallas en las que ....2......... a los moros, lo que lo convirtió en un héroe de la Reconquista. Su vida inspiró una de las obras más importantes de la literatura española: *El Cantar de mío Cid*.

Américo Vespucio (Amerigo Vespucci) nació en Florencia en el año 1454. Fue un navegante que trabajó al servicio de los reyes de Portugal y de Castilla. Se considera que fue el primer europeo en darse cuenta de que las tierras que ....3......... Cristóbal Colón pertenecían a un nuevo continente. Por esta razón, en 1507 el cartógrafo Martin Waldseemüller utilizó en un mapa el nombre de "América" en su honor para designar al Nuevo Mundo después de la ....4..........

7. Escribe la vida de un personaje histórico de tu país.

Practica lo que has aprendido con el material interactivo extra.

EXTENSIÓN DIGITAL

Los signos de puntuación

1. 🎧 10 **Señala las funciones que crees que tiene la puntuación en el lenguaje. Después, escucha y comprueba.**

- ☐ **a.** Reproduce la lengua escrita.
- ☐ **b.** Facilita la comprensión de los mensajes escritos.
- ☐ **c.** Organiza el discurso y da coherencia a los elementos que lo componen.
- ☐ **d.** Señala el carácter de determinados fragmentos: diálogos, citas…

Signos de puntuación							

■ En español existen los siguientes signos de puntuación:

.	punto	;	punto y coma	…	puntos suspensivos	—	raya	" "	comillas
:	dos puntos	,	coma	( )	paréntesis	¡! ¿?	signos de exclamación e interrogación		

2. **Escribe cada signo de puntuación junto a su uso.**

1. ☐ Indica una pausa menor al punto y mayor a la coma. Separa elementos que ya tienen coma o frases independientes, pero que tienen una relación semántica.

2. ☐ Se usa para incisos (en lugar de paréntesis o comas) o para introducir el estilo directo.

3. ☐ Interrumpen el discurso y atraen la atención sobre lo que sigue: una enumeración, una cita, una conclusión, etc.

4. ☐ Abren y cierran frases exclamativas o interrogativas.

5. ☐ Separa los elementos de una enumeración.

6. ☐ Contienen aclaraciones o información adicional.

7. " " Se usan para las citas y los títulos, y para señalar una o más palabras utilizadas en un sentido no literal. Después de dos puntos, introducen el estilo directo.

8. ☐ Interrumpen una frase, por lo que queda incierta y sin conclusión. Colocados tras una enumeración, tienen la misma función que "etcétera"(etc.).

9. . Señala el final de una frase. Después de él, siempre se escribe en mayúsculas.

3. 🎧 11 **Escucha y escribe los signos de puntuación necesarios en estas frases.**

a. Pepe dijo ☐ ☐ Mañana me voy a Italia ☐ .

b. Mi abuelo nació en Ronda ☐ Málaga ☐ ☐

c. Tengo que comprar tomates ☐ carne ☐ fruta ☐ pan ☐

d. Luisa preguntó ☐ ☐ ☐ Puedo venir más tarde ☐ ☐ ☐

e. Jaime ☐ que es el hermano de María ☐ va a mi misma clase ☐

4. 🎧 12 **Dictado de parejas. Escribe en tu cuaderno lo que lee tu compañero.**

Alumno Ⓐ

Y todo un coro infantil
va cantando la lección:
"mil veces ciento, cien mil;
mil veces mil, un millón".
(Antonio Machado)

Alumno Ⓑ

La causa de esta angustia no consigo
ni vagamente comprender siquiera;
pero recuerdo y, recordando, digo:
—Sí, yo era niño, y tú, mi compañera.
(Antonio Machado)

EXTENSIÓN DIGITAL

Practica lo que has aprendido con el material interactivo extra.

Me preparo para el DELE

Prueba de expresión e interacción escritas

1. Observa las fotos y escribe un texto (70-80 palabras) para un blog de Internet sobre las vacaciones. Di dónde has estado, con quién, qué has visto y cómo te lo has pasado.

Prueba de comprensión auditiva

2. 13 Vas a escuchar cuatro anuncios de radio dos veces cada uno. Elige la opción correcta.

1. El programa de radio…

   a. va a entrevistar a dos actores.
   b. va a entrevistar a una actriz.
   c. va a entrevistar a Paula Vargas.

2. El anuncio dice que…

   a. las blusas y los vestidos cuestan 15 €.
   b. los vestidos y los pantalones tienen diferentes precios.
   c. todos los vestidos cuestan lo mismo que los pantalones.

3. El partido…

   a. es una final de un campeonato.
   b. lo retransmiten dos hombres.
   c. se juega a las ocho de la tarde.

4. Si vas a Óptica Buenavista…

   a. te llevarás dos regalos.
   b. te regalan un viaje si compras dos pares de gafas.
   c. te regalan unas gafas de sol si te compras dos pares de gafas.

Arturo Pérez-Reverte

1. Lee este texto sobre este escritor español.

Arturo Pérez-Reverte es uno de los escritores españoles más leídos y más traducidos. Nació en Cartagena (España) en 1951. Desde 1973 hasta 1994 trabajó como corresponsal de guerra para prensa, radio y televisión. Es un escritor muy premiado tanto nacional como internacionalmente por su labor artística y periodística. Entre otros premios, recibió en 1993 el Príncipe de Asturias de Periodismo, por su trabajo como periodista para TVE en la guerra de la ex Yugoslavia. En 1998 fue nombrado Caballero de la Orden de las Letras y las Artes de Francia y en 2003 ingresó en la Real Academia de la Lengua Española.

Es autor de numerosas novelas de éxito, algunas de las más conocidas son: *El club Dumas*, novela en la que se basó la película *La novena puerta* (1999) del director Roman Polanski, y protagonizada por Johnny Depp; y *Las aventuras del capitán Alatriste*, a quien dio vida en la gran pantalla Viggo Mortensen, en la película llamada *Alatriste* (2006), dirigida por Agustín Díaz Yanes.

Las aventuras del capitán Alatriste es quizás su obra más famosa. Son seis libros que cuentan la historia de Diego Alatriste, un ex soldado de la España Imperial del siglo XVII y su joven ayudante Íñigo Balboa. Los dos juntos viven apasionantes aventuras de luchas, traiciones, amistad, lealtad y amor en un Madrid oscuro y lleno de peligros.

(Adaptado de *http://www.perezreverte.com*)

2. Escribe las preguntas para estas respuestas.

a. .... ➔ En Cartagena.

b. .... ➔ 21 años.

c. .... ➔ En 2003.

d. .... *La novena puerta?* ➔ En *El club Dumas*.

e. .... ➔ Agustín Díaz Yanes.

3. Habla con tu compañero. ¿Conoces alguna novela de un autor de tu país que se ha llevado al cine? ¿Cuál? ¿Te ha gustado más la novela o la película?

4. Escribe la biografía de Íñigo Balboa y Aguirre, narrador y personaje de *Las aventuras del capitán Alatriste*, fijándote en los datos y usando tu imaginación.

Datos:

- Oñate, 02/04/1610 (padres: soldado Lope Balboa y Amaya Aguirre).
- 1621 - Muerte de Lope Balboa en la guerra de Flandes.
- 1622 - Madrid. Casa de Diego Alatriste (amigo de Lope Balboa).
- 1623 - Conoce a la bella y peligrosa Angélica de Alquézar.
- 1624 - Flandes. Ayudante del capitán Alatriste.
- 1626 - Barco a España. Reencuentro en Sevilla con Angélica de Alquézar.
- 1627-1634 - Aventuras junto a Diego Alatriste. Tormentosa relación con Angélica hasta que ella muere.
- 1635-1642 - En la guerra franco-española y en la guerra de Cataluña.
- 1643 - Prisionero en Francia. Huída y regreso a España.
- 1644-1657 - Viajes por Flandes y el Mediterráneo. Capitán de la Guardia Real.
- 1657 - Casamiento con la marquesa Inés Álvarez de Toledo. Se retira.

(http://www.perezreverte.com/capitan-alatriste/personajes/10/inigo-balboa-y-aguirre)

Nació en...

5. Tu compañero es un **gran aventurero** y tú eres su **biógrafo**. Hazle preguntas sobre su vida. Con la información que te da, escribe su biografía. Imagina que es un señor mayor y que debes hablarle de usted.

Nació en...

Practica lo que has aprendido con el material interactivo extra.

¡Me lo sé!

Marcadores temporales del pasado

.... /5

1. Completa con los marcadores temporales más adecuados.

a. Juan y Anabel se conocieron en julio y ☐☐ ☐a☐☐ d☐ dos años empezaron a salir.
b. Patricia vivió en Barcelona ☐☐☐☐☐ 2001 ☐☐☐☐☐ 2007.
c. Javier fue a un campamento ☐☐☐☐☐☐☐ el verano.
d. Mi tía se casó muy joven, se divorció y ☐ ☐☐☐ dos años se volvió a casar.
e. Mi hermano se graduó en 2006 y dos años ☐☐☐☐☐☐ estudió un máster.

Expresar la repetición de una acción

.... /4

2. Marca en qué frases *volver* tiene significado de repetición.

a. Me dejé la carpeta olvidada en la clase y volví a buscarla.

b. Ayer volví a dejarme olvidada la carpeta en clase.

c. Anoche los vecinos de arriba volvieron a hacer una fiesta.

d. Anoche los vecinos de arriba volvieron a casa muy tarde.

Pretérito indefinido

.... /11

3. Completa conjugando los verbos entre paréntesis en pretérito indefinido.

a. Dicen que las pirámides de Egipto las .... (construir) los extraterretres.

b. Los Reyes Católicos .... (casarse) en 1469 y .... (reinar) desde 1474 hasta 1516.

c. He leído que Elvis Presley en realidad nunca .... (morir) y vive en algún lugar escondido.

d. Newton .... (descubrir) la ley de la gravedad cuando se le .... (caer) una manzana en la cabeza.

e. Cristóbal Colón le .... (pedir) dinero a Isabel la Católica para poder hacer su viaje, e Isabel la Católica se lo .... (conceder).

f. Los bombardeos durante la Guerra Civil .... (destruir) muchos edificios.

g. Los españoles .... (ganar) la Guerra de la Independencia contra los franceses (1808-1814).

h. Colón .... (repetir) su viaje a América tres veces más a lo largo de su vida.

Momentos en la vida de una persona .... /6

4. Escribe el verbo correspondiente debajo de cada imagen.

....

....

Momentos históricos .... /5

5. Escribe la palabra para cada definición.

a. Lo puede hacer un rey o un político. ➡ ....

b. Cada una de las luchas que se hace dentro de un conflicto armado. ➡ ....

c. Ver o encontrar algo por primera vez. ➡ ....

d. Entrar en un país por la fuerza de forma inesperada. ➡ ....

e. Reconocer o examinar con detenimiento un lugar nuevo. ➡ ....

Los signos de puntuación .... /16

6. Completa con los signos de puntuación adecuados.

a. Carolina ☐ ☐ vienes al cine conmigo ☐

b. ☐ Qué frío hace hoy ☐

c. El verbo ☐ ducharse ☐ es reflexivo ☐

d. Oye ☐ ☐ dijo ella ☐ ☐ qué quieres ☐

e. Aquel año ☐ 2002 ☐ entré en la universidad ☐

Arturo Pérez-Reverte .... /4

7. Contesta estas preguntas sobre este escritor.

a. ¿Qué profesiones ha tenido? ➡ ....

b. ¿Cómo se llama su obra más conocida? ➡ ....

c. ¿En qué época está ambientada la novela? ➡ ....

d. ¿En que ciudad viven los protagonistas de la novela? ➡ ....

 Practica lo que has aprendido con el material interactivo extra.

Érase una vez...

1. Mira las imágenes y relaciónalas con las siguientes palabras.

> 1. ☐ *espadachín*   2. ☐ *soldado*   3. ☐ *herencia*

Ejército

Dinero y joyas

Espada

2. Con tu compañero, elige la definición correcta para cada palabra.

1. Un espadachín es…

   a. una persona que usa bien la espada.
   b. un tipo de espada.

2. Un soldado es…

   a. cada una de las personas que forman un ejército.
   b. una persona que forma parte del ejército y tiene el grado inferior.

3. La herencia es…

   a. el conjunto de objetos (dinero, joyas, propiedades, etc.) que una persona deja a otras cuando se muere.
   b. el oro, el dinero y las joyas que buscan los piratas.

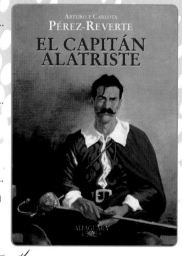

ARTURO Y CARLOTA
PÉREZ-REVERTE
EL CAPITÁN
ALATRISTE

ALFAGUARA

3. Lee el texto y comprueba las respuestas del ejercicio anterior.

No era el hombre más honesto ni el más piadoso, pero era un hombre valiente. Se llamaba Diego Alatriste y Tenorio, y había luchado como soldado en las guerras de Flandes. Cuando lo conocí, malvivía en Madrid, prestando sus servicios como espadachín por cuatro monedas a otros que no tenían la destreza para solucionar sus propios asuntos. […] Ahora es fácil criticar eso; pero en aquellos tiempos la capital de las Españas era un lugar donde la vida había que buscársela de cualquier forma. […]

El capitán Alatriste, por lo tanto, vivía de su espada. Hasta donde yo alcanzo, lo de capitán era más un apodo que un grado real. Una noche tuvo que cruzar, con otros veintinueve compañeros y un capitán [...], un río helado, con la espada entre los dientes y solo con una camisa a fin de confundirse con la nieve, para sorprender al ejército holandés, que era el enemigo de entonces porque pretendían proclamarse independientes. [...]

Solo dos soldados españoles consiguieron regresar a la otra orilla cuando llegó la noche. Diego Alatriste era uno de ellos, y como durante toda la jornada había mandado sobre la tropa -al capitán de verdad lo mataron-, se le quedó el mote. [...]

Mi padre fue el otro soldado español que regresó aquella noche. Se llamaba Lope Balboa y también era un hombre valiente. Dicen que Diego Alatriste y él fueron muy buenos amigos, casi como hermanos; y debe ser cierto porque después, cuando a mi padre lo mataron, le juró ocuparse de mí. Esa es la razón de que, a punto de cumplir los trece años, mi madre me mandó a vivir con el capitán. Así fue como entré a servir al amigo de mi padre.

(Texto adaptado de *Las aventuras del capitán Alatriste*, Arturo Pérez-Reverte 1996)

4. Fíjate en las expresiones en negrita y sustitúyelas por una palabra del cuadro.

sé ○ querían ○ apodo ○ dirigido ○ envió

a. hasta donde yo **alcanzo**...   ➡ .... sé ....
b. **pretendían** proclamarse independientes...   ➡ ....
c. durante toda la jornada había **mandado sobre**...   ➡ ....
d. se le quedó el **mote**...   ➡ ....
e. me **mandó** a vivir con el capitán...   ➡ ....

5. Contesta las siguientes preguntas.

a. ¿En qué trabajaba Diego Alatriste en Madrid? ➡ ....
b. ¿Por qué tiene el apodo de "capitán"?   ➡ ....
c. ¿Quién es el narrador de la historia?   ➡ ....
d. ¿Por qué fue a vivir con Diego Alatriste?   ➡ ....

6. Habla con tu compañero. ¿Cómo te imaginas al capitán Alatriste?

1. 🎧14 **Vas a escuchar a cuatro personas explicando sus viajes. Completa el cuadro.**

	¿Con quién fue?	¿Dónde?	¿Cuándo?	¿Qué hizo?	¿Lo pasó bien?
Pepe					
Ana					
Iván					
Eva					

2. 🎧14 **Vuelve a escuchar y escribe todos los superlativos que oigas.**

a. ....

b. ....

c. ....

d. ....

e. ....

f. ....

3. **Relaciona las dos columnas y completa con los pronombres de objeto directo e indirecto correspondientes.**

1. Ana compró una torre Eiffel de plata y...

2. Mi abuela tiene muchas fotos de cuando estuvo en Ibiza y siempre que vamos a su casa...

3. Pepe dice que comió insectos fritos pero...

4. Iván es muy exagerado seguro que no...

a. ☐ ☐ enseña.

b. ☐ ☐ regaló a su madre.

c. ☐ ☐ pasó tan mal.

d. yo no ☐ ☐ creo.

4. **Vas a leer un texto de la página web de un aventurero muy famoso en España. Completa los espacios con el verbo en pretérito perfecto.**

Mi pasión nació en mi tierra, en el corazón de los Picos de Europa; y ....1........ (desarrollarse) especialmente en el Himalaya. A Nepal, donde ....2........ (ser) guía de montaña durante más de 16 años, i........3........ (viajar) más de 40 veces! A mis expediciones más importantes, como la del Everest en 2005, empecé a llevarme una cámara y a grabar. Con ese material se inició *Desafío extremo*, que ....4........ (convertirse) en un programa de éxito y va ya por su tercera temporada. Enseguida empezó a acompañarme Emilio Valdés, amigo y alpinista, que registra con su cámara todo lo que nos pasa. Como ....5........ (vosotros, poder) ver en temporadas anteriores de *Desafío extremo*, ...6........ (culminar) los picos más altos de cada continente: Elbrus, Everest, Pirámide de Carstenz, McKinley, Vinson y Aconcagua. ....7........ (Llegar) a la cima, además, de otros dos ochomiles, el Cho Oyu y el Lhotse, y ....8........ (alcanzar) el Polo Norte. Además de la montaña, me apasionan las motos, y ....9........ (ir) en dos ocasiones al rally de los Faraones, en Egipto. También me gusta volar y soy

piloto de avionetas. Últimamente ....**10**.......... (empezar) a practicar el submarinismo, un deporte lleno de adrenalina que te permite conocer la extraordinaria vida marina. Esa no es mi especialidad y de momento, siempre me ....**11**.......... (acompañar) y me ....**12**.......... (ayudar) mis amigos que son expertos submarinistas.

(Adaptado de *www.jesuscalleja.es*)

5. Completa el texto sobre esta aventurera española conjugando los verbos entre paréntesis y añadiendo las palabras del recuadro.

> Entonces • Nadie • De adolescente • Allí • porque
> en 1635 • 1607 • Años más tarde

Doña Catalina de Erauso .... (nacer) en San Sebastián, España, en 1592. **(1)**.................... sus padres la .... (meter) en un convento, pero en **(2)**.......................... .... (escaparse), **(3)**.......................... no soportaba la vida de religiosa. .... (disfrazarse) de hombre y .... (irse) en un barco rumbo a América. **(4)**...................., ... (luchar) como soldado por la conquista de Chile. .... (ser) tan valiente que la .... (nombrar) alférez. **(5)**.......................... (descubrir) que era una mujer hasta que en 1624, durante un duelo, la .... (herir), y no .... (tener) más opción que confesarlo. **(6)**.........................., inmediatamente, ... (regresar) a España para recuperarse y el rey Felipe IV le .... (dar) una recompensa por su valentía. **(7)**...................., ... (volverse) a vestir de hombre y .... (viajar) de nuevo a América. .... (morir) **(8)**.......................... en Veracruz, México.

6. Ahora contesta estas preguntas sobre el texto anterior.

a. ¿De dónde se escapó Catalina? ....

b. *Convento* significa:
• La casa donde viven los religiosos. ○
• Es una prisión. ○

c. *Disfrazarse* significa:
• Vestirse para parecer otra cosa. ○
• Vestirse bien. ○

d. ¿Por qué Catalina confesó que era una mujer? ....

e. ¿Cuántas veces fue Catalina a América? ....

7. Escribe un texto (100 palabras) sobre tu mejor viaje: dónde y cuándo fuiste, con quién, qué hiciste y cómo te lo pasaste.

8. Ahora cuéntaselo a tu compañero y añade dos mentiras. Tu compañero tendrá que adivinarlas.

¡Qué curioso!

Contenidos funcionales

- Hablar de hechos curiosos
- Describir experiencias personales
- Contar anécdotas

Contenidos gramaticales

- Pronombres y adjetivos indefinidos
- Contraste pretérito perfecto e indefinido

Contenidos léxicos

- Léxico relacionado con actividades de tiempo libre

Fonética y ortografía

- Las mayúsculas

Contenidos culturales

- Curiosidades del mundo hispano

Relato

- ¿Por qué los españoles comen tan tarde?

¿Qué ves?

---

1. **Fíjate en la imagen y habla con tu compañero.**

- ¿Cómo se llama la película que van a ver?
- ¿Sabes quién es el director?
- ¿Y la actriz protagonista?

- ¿Conoces alguna otra película suya?
- ¿Qué otras películas españolas conoces?
- ¿Qué tipo de cine te gusta?

2. **Relaciona las fechas con los momentos de la vida de Penélope Cruz.**

> *durante su vida* ○ *en los años ochenta* ○ *en 2010* ○ *durante cuatro años*
> *hasta ahora* ○ *en 1974* ○ *este año* ○ *desde los 5 hasta los 18*

Nació ....1........, en Madrid. ....2.......... años estudió *ballet*. Sus primeros trabajos fueron ....3.........., con anuncios publicitarios, vídeos musicales, televisión... En 1991 empezó a trabajar en el cine y ....4.......... no ha parado de hacer películas. ....5.........., de 2001 a 2004, fue novia de Tom Cruise, antes de ganar un Óscar.
..........6.......... ha tenido que aprender varios idiomas, porque ha rodado películas en Italia, Francia, Estados Unidos... ....7.......... se casó con Javier Bardem y ha tenido a su primer hijo. ....8.......... ha dicho que está en un momento muy feliz de su vida.

Trabajamos con el diálogo

3.  **Escucha el diálogo entre Irene y Paula y completa.**

Irene: Me apetece mucho ver esta película. Además, Penélope Cruz me encanta.

Paula: Pues ayer leí una ....1........................ suya muy interesante.

I.: ¡Ah!, ¿sí? Cuenta, cuenta…

P.: ¿Sabías que se llama Penélope porque a sus padres les gustaba mucho una ....2........................ que se titula así?

I.: ¡Qué curioso! La verdad es que no es un nombre muy común. Me gusta, es ....3........................, aunque un poco largo…

P.: Pues a su familia creo que también se lo parece porque la llaman Pe.

I.: ¡Qué gracioso!

P.: Y es una actriz muy preparada. Ha estudiado trece años *ballet*, interpretación… ¡y habla cuatro ....4........................!

I.: ¡Qué envidia! ¡Me encantaría poder hablar tantos idiomas!

P.: A mí también. Y también leí que colabora con varias ONG. Incluso grabó una canción para un ....5........................ benéfico. ¡Esta chica sabe hacer de todo!

I.: Desde luego. Yo la he oído cantar en algunas ....6........................ y lo hace muy bien. También hizo una serie de televisión de una escuela de baile.

P.: ¡Pero si no era ella! Era su ....7........................ pequeña, Mónica Cruz, que también es actriz y se parecen un montón.

I.: ¡No me digas! ¡Son idénticas!

P.: Ya ves, incluso en una peli de la saga *Piratas del Caribe*, Mónica hizo de doble de su hermana.

I.: Pues sí que se parecen: las dos son guapas, ricas, ...8........................…

4. **Completa las frases con la información del diálogo.**

a. .... hizo una serie sobre una academia de baile.

b. Las dos hermanas se parecen ....

c. Penélope colaboró en un ....

d. Mónica fue .... de su hermana en una película.

5. **Aquí tienes algunas preguntas de la entrevista que leyó Paula. Imagina que eres Penélope Cruz y escribe las respuestas en tu cuaderno. Después, compáralas con tu compañero.**

a. Penélope no es un nombre muy común, ¿por qué te lo pusieron?

b. ¿Tu familia te llama de alguna forma especial? ¿Por qué?

c. ¿Es verdad que te gusta mucho cantar y bailar?

d. ¿Cómo es la relación con tu hermana?

e. ¿Es cierto que realizas acciones solidarias?

f. ¿Hablas idiomas?

6. **Tu compañero es un personaje famoso. Preparad una entrevista hablando sobre los siguientes temas.**

- PREMIOS - AFICIONES
- TRABAJO - VIDA

 Practica lo que has aprendido con el material interactivo extra.

Hablar por hablar

> **HABLAR DE HECHOS CURIOSOS Y CONTAR ANÉCDOTAS**

■ Para contar **anécdotas** o **curiosidades**:

- ¿Sabías que...?
- Cuentan que...
- Dicen que...
- ¿Sabes...?

■ Para **reaccionar** o mostrar **interés**:

- Cuenta, cuenta...
- ¿De verdad?
- ¡No me digas!
- ¡Qué curioso!

▶ **¿Sabes** cuál es el insecto que puede saltar más?
▶ No, **cuenta, cuenta**...
▶ La pulga, puede saltar 200 veces su propia altura.
▶ **¡Qué curioso!**

1. 🎧16 Completa los diálogos y relaciónalos con las imágenes que aparecen. Después, escucha y comprueba.

> *sabes* ○ *de verdad* ○ *cuenta, cuenta* ○ *qué curioso* ○ *sabías que* ○ *cuentan que*

a.
Elena: ¿.........1......... el **Chupa Chups** lo inventó un español?
Javier: ¿.........2.........?
Elena: Sí, se llamaba Enric Bernat y tuvo la idea de colocarle un palo a un caramelo porque veía que los niños se manchaban las manos. Se hizo tan popular que hoy en día podemos encontrarlo en cualquier parte del mundo.

1

b.
Irene: ¿.........3......... cuál es el origen de la **siesta**?
Jorge: No, ...4..........
Irene: Pues se trata de una antigua norma de guardar reposo y silencio después de la sexta hora latina (nuestro mediodía), al ser la hora de más calor. Por eso, entre las tres y las cinco de la tarde, no está bien visto en España llamar a nadie por teléfono.

2

c.
Alicia: ¿Sabes qué es un **botijo**?
Marta: ¿Un botijo? No, cuenta, cuenta...
Alicia: Es un recipiente de barro cocido que sirve para contener agua, y si lo colocas al sol, la enfría.
Marta: ¡.........5.........!
Alicia: Sí, ...6......... procede del tiempo en el que los romanos dominaban la Península Ibérica.

3

2. Fíjate en las imágenes y cuenta una anécdota a tu compañero. Él tiene que reaccionar.

Alumno A

Alumno B

> ## DESCRIBIR **EXPERIENCIAS PERSONALES**

*¿Has estado **alguna vez** en España?*   *¿Has nadado **alguna vez** con delfines?*

Para responder afirmativamente	Para responder negativamente
*Sí, (he estado) **muchas veces/varias veces/ dos veces/una vez**...* *Sí, (he nadado con delfines) **muchas veces**.*	*No, (no he estado) **nunca**.* *No, (no he nadado con delfines) **nunca**.*

■ Cuando **ya hemos realizado** una acción:
     ***Ya** he estado/nadado.*
     ***Ya** he comido.*

■ Cuando tenemos intención de hacer algo pero **aún no** lo hemos hecho:
     ***Todavía/Aún no** he estado/nadado.*
     ***Todavía/Aún no** he comido.*

■ En español los adverbios *ya, todavía, aún* preceden o siguen al pretérito perfecto; pero nunca entre el auxiliar y el participio.

     ***Ya** he nadado con delfines.*
     *He nadado **ya** con delfines.*
     He ~~ya nadado~~ con delfines.

3. **¿Cuáles de las siguientes cosas has hecho? Habla con tu compañero. En caso afirmativo di cuántas veces y en caso negativo puedes usar *nunca* o *todavía no*.**

- Plantar un árbol.
- Ir a un concierto.
- Enamorarse.
- Aprender a tocar un instrumento.
- Tener una mascota.
- Ir a una discoteca.
- Escalar una montaña.
- Cruzar el Atlántico.
- Hacer un viaje sin padres.
- Hacer submarinismo.
- Viajar en barco.
- Ganar un premio.

4. **¿Tenéis algo en común? ¿Qué es lo que más te sorprende de tu compañero?**

5. **Piensa en tres cosas originales que has hecho en tu vida. Después cuéntaselas a tu compañero y pregúntale si él también las ha hecho.**

1.	2.	3.

 EXTENSIÓN DIGITAL   Practica lo que has aprendido con el material interactivo extra.

CONTRASTE PRETÉRITO PERFECTO E INDEFINIDO

El *pretérito perfecto* se usa para hablar de:

■ acciones terminadas en un periodo de tiempo **no acabado**.
Este año he viajado mucho.
Esta mañana he desayunado. (el año y la mañana todavía no han terminado)

■ acciones terminadas que tienen **relación con el presente**.
No puedo entrar porque he perdido la llave.

■ acciones terminadas en un **pasado no concreto**.
Yo ya he visitado tres teatros romanos.

■ **Expresiones temporales** que se usan con el **pretérito perfecto**:
Esta tarde/mañana/semana/primavera...
Este fin de semana/año/invierno...
Hoy...
Ya/todavía no/nunca...
Hace un rato/cinco minutos...

El *pretérito indefinido* se usa para hablar de:

■ acciones terminadas en un periodo de **tiempo acabado**.
Ayer vimos una peli muy buena.
El otro día no fui a clase.

■ acciones que **no** tienen **relación con el presente**.
En marzo viajé a Bélgica.

■ **Expresiones temporales** que se usan con el **pretérito indefinido**:
La semana/primavera... pasada
El fin de semana/año/mes... pasado
Hace tres días/dos años...
Ayer/anteayer/el otro día...
En verano/otoño/1980...

---

1. Señala el tiempo verbal correcto.

a. Esta tarde **han dado/dieron** en la tele un reportaje sobre inventos de la Historia.

b. Yo nunca **he estado/estuve** en España pero sí **he estado/estuve** en Portugal.

c. Ayer **hemos tenido/tuvimos** clase de mates y hoy **hemos tenido/tuvimos** de Literatura.

d. Tengo un examen la semana que viene y todavía no **he empezado/empecé** a estudiar.

e. ▶ El otro día **he visto/vi** a Luis y lo encontré un poco raro. ¿Sabes si le pasa algo?
▶ No, yo lo **he visto/vi** hace un rato y estaba como siempre.

f. En verano **hemos ido/fuimos** de vacaciones a Menorca.

2. Di qué frases son incorrectas y corrígelas.

a. Hace dos días fui a un concierto y me lo pasé genial. ➜ ....

b. Hace cinco minutos llamé a mi amigo Luis por teléfono. ➜ ....

c. El finde pasado he ido a la montaña. ➜ ....

d. Todavía no he hecho los deberes de Matemáticas. ➜ ....

> PRONOMBRES Y ADJETIVOS INDEFINIDOS

■ Los indefinidos se usan para referirse a personas o cosas de un modo general. Algunos indefinidos funcionan como pronombre y son invariables.

PRONOMBRES	
Personas	*Cosas*
alguien nadie	**algo nada**
▶ ¿**Alguien** ha visto mi libro de mates?	▶ ¿Quieres **algo** de comer?
▶ No, **nadie**.	▶ No quiero **nada**, gracias.

⚠ ■ Estos pronombres pueden ir seguidos de un adjetivo, que será siempre masculino singular: - ¿Hay **alguien** dispuest**o** a hablar con el profe en nombre de la clase?

■ Algunos indefinidos tienen función de pronombre y de adjetivo y se usan para hablar de cosas y de personas. Concuerdan en género y número con el sustantivo al que acompañan o sustituyen.

PRONOMBRES - *Personas y cosas*	ADJETIVOS - *Personas y cosas*
alguno/a/os/as ninguno/a	**algún/a/os/as ningún/a/os/as**
¿**Algún** chico es de Francia? **Ninguno**.	No hay **ningún** chico de Francia.
Algunos de mis amigos hablan francés.	Tengo **algunos** libros que te van a gustar.

⚠ ■ *Algún* y *ningún* se usan delante de un sustantivo masculino singular: ¿Ves **algún** coche?

■ Cuando en la frase aparece otro elemento negativo, *nada, nadie, ningún, ninguno/a* van después del verbo: **Ningún** amigo le llamó. ➡ **No** le llamó **ningún** amigo.

---

3. Completa los siguientes diálogos con los pronombres *alguien, nadie, algo* o *nada*.

a.
▶ ¿Qué tal llevas el examen?
▶ Fatal, no he estudiado ....1............, porque ayer me encontraba fatal.

b.
▶ Me voy al supermercado, ¿quieres que te traiga ....2............?
▶ No, no necesito ....3............, gracias.

c.
▶ ¿............4............ ha visto a Marta? Tengo que decirle ....5............ muy importante.
▶ No, ...6............ la ha visto.

---

4. Completa con *ningún, ninguno, ninguna, algún, alguno* o *alguna*. Después, di si funcionan como pronombres (P) o adjetivos (A).

a. ▶ ¿No hay .... tren para Murcia?
▶ Seguro que hay .... □

b. No conozco a .... chica rusa en este instituto. □

c. ¿............................ de vosotras tiene hambre? □

d. ▶ ¿Tienes .... libro de Historia del Arte?
▶ Yo no tengo .... □

EXTENSIÓN DIGITAL   Practica lo que has aprendido con el material interactivo extra.

Palabra por palabra

1. Lee y completa.

> teléfono ○ televisión ○ Messenger ○ juegos de mesa ○ ordenador
> videojuegos ○ Facebook y Tuenti ○ culturales ○ Internet ○ hacer deporte

Un reciente estudio realizado a los jóvenes españoles de entre 15 y 18 años sobre sus prioridades en la vida concluye que el tiempo libre es una de sus prioridades y son la primera generación de españoles que dedica más tiempo a .... 1 .... que a la televisión. Los .... 2 .... son otro de sus pasatiempos.

Las actividades que más practican son: usar el .... 3 ...., escuchar música o la radio, salir o reunirse con amigos y ver la .... 4 .... En segundo lugar se sitúan actividades como ir a discotecas, ... 5 ...., asistir a conciertos o leer libros. En último lugar se encuentran actividades como visitar museos o exposiciones, colaborar con una ONG o asistir a conferencias. Atrás quedaron algunos de los más populares .... 6 .... de otros tiempos como el parchís, la oca o las cartas.

En general, lo que más les gusta es salir del entorno familiar y estar con los amigos, ya sea presencialmente o mediante redes sociales como .... 7 ...., y lo que menos practican son las actividades .... 8 .... porque las consideran actividades escolares y no de ocio.

Lo que más diferencia a los nuevos adolescentes es el uso de las nuevas tecnologías, principalmente las interactivas, motivo por el que Internet y el .... 9 .... móvil están desplazando a la televisión, y el .... 10 ...., al correo electrónico.

Pero, aunque la adolescencia tiene mala fama y algunas personas dicen que los jóvenes no tienen principios ni control, según el psiquiatra Luis Rojas Marcos, la mayoría de ellos son bondadosos, curiosos, inquietos y altruistas.

2. Completa con palabras del texto.

Juegos de mesa	Nuevas tecnologías (actividades)
Dominó, Trivial,	Chatear,

Actividades al aire libre	Actividades educativas o solidarias
Montar a caballo, *rafting*,	Talleres, rehabilitación de casas,

3. Contesta las siguientes preguntas y coméntalas con tu compañero.

¿Te sientes identificado con el texto? ¿Por qué?

¿Cuáles son tus hábitos de tiempo libre?

¿Se parecen los jóvenes españoles y los de tu país, en qué sí y en qué no?

Curiosidades

4. Relaciona cada palabra con su definición.

1. Inventar. •
2. Desembarcar. •
3. Creador. •
4. Conseguir. •
5. Pico. •
6. Lograr. •

• **a.** Llegar a un lugar en barco con la intención de iniciar una actividad.
• **b.** Sinónimo de conseguir y alcanzar.
• **c.** Alcanzar lo que se pretende o desea.
• **d.** Cumbre, punto más alto de una montaña.
• **e.** Persona que hace algo nuevo o encuentra una nueva manera de hacer algo.
• **f.** Idear algo nuevo artística o intelectualmente.

5. Comprueba las respuestas del ejercicio 4 leyendo las siguientes preguntas.

a. ¿Sabes con qué otro nombre se conoció al **creador** del Quijote, Miguel de Cervantes?

b. ¿Con el gol de qué futbolista **consiguió** la selección española de fútbol ganar el mundial de Sudáfrica? ¿Contra qué otra selección jugaban?

c. ¿Qué actor español de fama internacional **ha logrado** ganar un Óscar? ¿Con qué película?

d. ¿Sabes quién **inventó** el submarino?

e. ¿Sabes cuál es el **pico** más alto de la Península Ibérica y dónde se encuentra?

f. ¿Qué pueblo **desembarcó** en la localidad de Ampurias en el 218 a.C., iniciando la dominación de la Península Ibérica?

6 🎧17 **Escribe en estas tarjetas de Trivial la letra de la pregunta del ejercicio 5 que le corresponda según su categoría. ¿Sabes las respuestas? Juega con tu compañero. Después, escucha y comprueba las respuestas.**

Historia
Pregunta:
Respuesta:

Geografía
Pregunta:
Respuesta:

Arte y literatura
Pregunta:
Respuesta:

Cine y espectáculos
Pregunta:
Respuesta:

Ciencia
Pregunta:
Respuesta:

Deportes
Pregunta:
Respuesta:

 EXTENSIÓN DIGITAL

Practica lo que has aprendido con el material interactivo extra.

Las mayúsculas

1. **Relaciona cada ejemplo con una de las normas.**

1. Los nombres propios.
2. Los nombres de asignaturas.
3. Los acontecimientos históricos.
4. Los periodos de la Historia.
5. Las fiestas religiosas.
6. Las abreviaturas de tratamiento.
7. Las siglas.
8. Después de punto.
9. Después de puntos suspensivos, si funcionan como punto.
10. Después de dos puntos, si se trata de un inciso o cita.
11. Después de signo de interrogación o exclamación

a. Estudio 3.º de la ESO.

b. En Semana Santa vamos a esquiar.

c. Ayer me llamó María.

d. La Edad Media me parece fascinante.

e. ¡Qué bonito! ¿Quién te lo ha regalado?

f. La Revolución Francesa fue muy importante para el mundo.

g. El Dr. Hernández le está esperando.

h. Mis aficiones son leer, tocar el piano, pintar… Me gusta mucho el arte.

i. Tengo un examen de Matemáticas.

j. Juan dijo: "Hay que ir a la biblioteca".

k. Parece que va a llover. Voy a coger el paraguas.

2. **Pon mayúsculas donde sea necesario.**

Mensaje nuevo
De: saraMS@gmail.com
Para: anaJimenez@hotmail.com

hola, ana:

¡el cumple fue genial! te cuento: el sábado las chicas me hicieron una fiesta sorpresa. me llevaron a port aventura. a las 9:00 vinieron a mi casa y me dijeron: "sara, ¿no te acuerdas de que hoy tenemos partido? ¡te estamos esperando! como yo soy tan despistada… no me sorprendió y me fui con ellas. luego cogimos el autobús que va al campo del salou f.c., (el mismo que va al parque de atracciones). seguro que estás pensando: "¡pero si el parque está siete paradas después del campo de fútbol! ¿cómo no te diste cuenta?". pues no, ¡soy un desastre! hasta que no llegamos a la entrada del parque no me di cuenta de nada. ¡qué pena que no pudiste estar con nosotras! ¡lo pasamos de miedo!

3. 🔊 **Dictado.**

Practica lo que has aprendido con el material interactivo extra.

Prueba de expresión e interacción escritas

1. Has ido a un campamento de verano. Escribe una postal a un amigo (entre 70 y 80 palabras) contándole: dónde has estado, qué actividades has hecho, a quién has conocido, cómo te lo has pasado…

Prueba de expresión e interacción orales

2. Tienes que hablar durante 3 o 5 minutos sobre las actividades de tiempo libre que practicas. Las preguntas que te proponemos te pueden ayudar a preparar tu exposición.

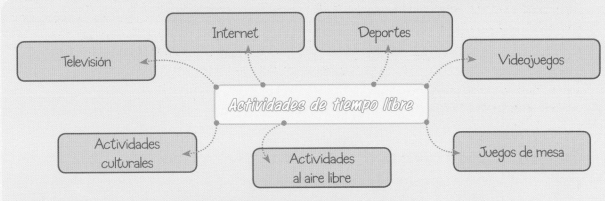

- ¿Cuántas horas a la semana dedicas a las actividades de ocio?
- ¿Cómo repartes esas horas durante la semana?
- ¿Qué actividades de tiempo libre practicas más? ¿Cuáles menos?
- ¿Con quién realizas esas actividades?
- ¿Cuáles crees que son las actividades más adecuadas para alguien de tu edad?
- ¿Hay alguna actividad que te gustaría practicar y aún no te dejan tus padres?

1. Lee estas curiosidades sobre el mundo hispano. Después relaciónalas con los recuadros.

¿Sabías que...?

1. En América, antes de llegar los españoles, existían más idiomas que en todo el resto del mundo.

2. En Jalisco, México, hay un árbol que se llama Mariachi. Con su madera se hacen guitarras. Por eso, los guitarristas de canciones tradicionales mexicanas se llaman *mariachis*.

3. La península del Yucatán, en México, se llama así porque un español le preguntó a un indígena cómo se llamaba ese lugar y él le respondió: *"Ki u t'aan"*, que significa "no te entiendo". De ahí pasó a "Yucatán".

México

4. Los dinosaurios se extinguieron hace más de 65 millones de años por un meteorito que cayó en la Península del Yucatán.

5. El apellido más popular en España es García. Lo llevan 1,5 millones de personas. En Estados Unidos lo llevan 2 millones.

6. Venezuela quiere decir "pequeña Venecia" y los españoles le pusieron este nombre al país porque las construcciones de los indígenas en el lago Maracaibo les recordaban a los canales de Venecia.

7. México significa "en el ombligo de la Luna". Su nombre está formado por la unión de las palabras *Metztli* (luna) y *xictli* (ombligo). Los aztecas pronunciaban *"Meshico"*, así que los españoles lo escribieron con "x" porque antiguamente esta letra se pronunciaba como *shi*, es decir, que pronunciaban la palabra como en la lengua original y no como lo hacemos ahora, con el sonido "j". El sonido *shi* ahora no existe en español.

Curiosidad n.º: ☐

a. Otra teoría dice que el nombre es autóctono, y correspondía al nombre que los indígenas daban a una zona.

Curiosidad n.º: ☐

b. La "x" empezó a pronunciarse como "j" en el siglo XVII y muchas de las palabras que se escribían con "x" ahora se escriben con "j", excepto México, que se ha conservado por razones históricas.

Curiosidad n.º: ☐

c. Existían más de 1 000 000.

Curiosidad n.º: ☐

d. Las canciones se llaman *rancheras*.

Curiosidad n.º: ☐

e. Parece que el origen de la palabra "canguro" tiene la misma teoría, por eso lo más probable es que esto no sea cierto.

Curiosidad n.º: ☐

f. La Tierra estuvo varios meses en la oscuridad.

Curiosidad n.º: ☐

g. Los apellidos más comunes en EE.UU. son españoles, en este orden: Rodríguez, González, García, López, Fernández, Pérez, Martínez y Sánchez.

2. **Contesta verdadero (V) o falso (F).**

	V	F
a. No es seguro el origen de la denominación de la península del Yucatán.	☐	☐
b. Los dinosaurios se extinguieron primero en Yucatán.	☐	☐
c. México, en español, se pronuncia correctamente "Méjico".	☐	☐
d. Antes de la llegada de los españoles a América existían muy pocos idiomas.	☐	☐
e. Hay más García en España que en EE. UU.	☐	☐

3. **¿Conoces alguna curiosidad? Explícasela a tu compañero. Puede ser sobre países, animales, hechos históricos… Si no conoces ninguna, invéntatela (tu compañero tiene que decidir si es verdad o mentira).**

¿Sabías que...?
....
....
....
....

EXTENSIÓN DIGITAL   Practica lo que has aprendido con el material interactivo extra.

¡Me lo sé!

Hablar de hechos curiosos y contar anécdotas   ...... /6

1. Completa las siguientes expresiones con las vocales que faltan.

a. ¿S_b__s qu_...?

b. C__nt_n qu_...

c. ¡Qu_ c_r__s_!

d. ¡N_ m_ d_g_s!

e. ¿D_ v_rd_d?

f. C__nta, c__nt_...

Experiencias personales   ...... /5

2. Escribe frases en pretérito perfecto contando cosas que has hecho.

a. Muchas veces ➡ ....

b. Tres veces ➡ ....

c. Una vez ➡ ....

d. Nunca ➡ ....

e. Ya ➡ ....

Pronombres y adjetivos indefinidos   ...... /10

3. Relaciona las reglas con sus ejemplos.

1. Acciones terminadas en un periodo de tiempo no acabado.

2. Experiencias sucedidas en un tiempo no concreto o general.

3. Acciones terminadas en un periodo de tiempo acabado o no relacionado con el presente.

4. Acciones que no hemos realizado pero que tenemos intención de realizar.

• a. Todavía no he estado en España.

• b. Este año España ha ganado el Mundial de Fútbol.

• c. Javier Bardem nació en Las Palmas de Gran Canaria en 1969.

• d. Fernando Alonso ha ganado dos veces el campeonato del mundo de Fórmula 1.

4. Clasifica los siguientes marcadores con el tiempo verbal al que acompañan.

a. esta tarde ○ b. anteayer ○ c. hoy ○ d. la semana pasada ○ e. todavía no ○ f. nunca
g. el otro día ○ h. en 2003 ○ i. hace tres días ○ j. ayer ○ k. en julio ○ l. alguna vez

Pretérito perfecto ➡ a, ...   Pretérito indefinido ➡ ....

Contraste pretérito perfecto e indefinido

.... /15

5. **Completa con *alguien*, *algo*, *nadie* o *nada*.**

▶ ¡Hola! ¿Están dando ....1........ interesante en la tele?

▶ ¡Qué va! Estoy zapeando porque no hay ....2........ .

▶ Por cierto, ¿me ha llamado ....3........ por teléfono?

▶ Mientras yo he estado en casa no te ha llamado ....4........ .

▶ ¿Qué tal si ponemos una película y pedimos ....5........ para cenar?

▶ ¡Vale!

6. **Elige la opción correcta en cada caso.**

a. ¿Tienes **algún/alguno** libro de ciencia ficción?

b. ¿**Ninguna/ningún** clase tiene ordenadores?

c. Mañana no va **nadie/alguien** a la fiesta.

d. ▶ ¿Tienes algunos libros para dejarme?

    ▶ No, no tengo **ningunos/ninguno**.

e. De mis amigas, **ningunas/ninguna** ha viajado fuera de Europa.

Actividades de tiempo libre

.... /3

7. **Escribe las actividades de tiempo libre que recuerdes.**

a. Juegos de mesa ➡ ....

b. Actividades al aire libre ➡ ....

c. Actividades educativas ➡ ....

Las mayúsculas

.... /4

8. **Escribe las mayúsculas necesarias.**

a. ¿dónde has estado? ¡te he estado esperando todo el día!

b. a la fiesta han venido: mi primo pablo, sergio y carlos.

c. el profesor de historia del arte siempre dice: "el arte es la historia del mundo".

d. unicef lucha por los derechos de la infancia.

Curiosidades

.... /3

9. **Contesta las siguientes preguntas.**

a. ¿Por qué México no se escribe con la letra jota?

b. ¿Cuál es el apellido más popular en España?

c. ¿Cuántas lenguas existían en América antes de la llegada de los españoles?

 Practica lo que has aprendido con el material interactivo extra.

Érase una vez...

1. Antes de leer el texto intenta decir si estas afirmaciones son verdaderas (V) o falsas (F). Después lee el texto y comprueba tus respuestas.

		V	F
a.	Los españoles cenan a partir de las nueve de la noche.	☐	☐
b.	Los españoles comen antes de la una.	☐	☐
c.	Los españoles se acuestan temprano si tienen que ir a trabajar al día siguiente.	☐	☐
d.	Los españoles son los europeos que menos duermen.	☐	☐

¿Por qué los españoles comen tan tarde?

En los años 60 había un eslogan para atraer a los turistas que decía: "*Spain is different*". En efecto, hay muchas cosas que diferencian España del resto de países y una de ellas es el horario de las comidas. Mientras que en el resto de Europa la gente normalmente come entre las doce y la una y cena entre las cinco y las ocho, en España se come entre la una y las cuatro y se cena entre las nueve y las once.

Un dato curioso es que en España los programas de televisión de más audiencia empiezan a partir de las diez y nunca terminan antes de las doce. Como se cena tan tarde, los españoles son los últimos europeos en acostarse, pero se levantan, más o menos, a la misma hora que los demás. Por lo tanto, son los que menos duermen. Pero el horario de comidas no siempre ha sido así: en los años 30, los españoles comían a la misma hora que el resto de europeos, aunque se acostaban igual de tarde. Parece que acostarse más tarde de la medianoche siempre les ha gustado.

Con el horario "europeo" se aprovecha más la luz natural, indispensable para el trabajo en el campo. Con la Guerra Civil española, muchas personas se fueron a vivir a las ciudades y empezaron a trabajar en fábricas que tenían luz eléctrica y las jornadas laborales se hicieron más largas. Además, con la difícil situación económica de la posguerra, algunas personas tuvieron que buscarse varios trabajos para poder subsistir. Por eso tuvieron que cambiar la distribución de las comidas durante el día, alargándolas en el tiempo.

Aunque el pluriempleo ya no es tan común actualmente, se sigue manteniendo el mismo horario, probablemente por el clima. En gran parte de España, en verano, empieza a anochecer a partir de las diez de la noche y con el calor a los españoles no les gusta salir de casa antes de las nueve de la noche. Por eso, la gente, aunque tiene que trabajar al día siguiente, aprovecha esa hora para salir a cenar fuera, pasear o hacer deporte.

Además, a las horas de más calor, entre las cuatro y las cinco de la tarde, si los españoles tienen la suerte de no estar trabajando, suelen dormir la siesta. Posiblemente esta es la explicación de por qué los españoles duermen la siesta, aunque este es otro tema…

2. **Contesta las siguientes preguntas.**

a. ¿Cuándo empezaron a cambiar los horarios en España?

....

b. ¿Por qué? ....

c. ¿A qué hora empieza a salir la gente por la noche en verano?.....................

....

d. ¿Crees que el clima influye en la forma de vida de la gente?.....................

e. Busca en el texto un sinónimo de *empleo*.

....

f. Vuelve a leer el tercer párrafo y elige la opción correcta.
Se usa el indefinido...

☐ **a.** porque habla de un tiempo del pasado ya terminado y de unas acciones ya terminadas.
☐ **b.** porque son acciones que tienen relación con el presente.

g. Busca en el texto una frase con pretérito perfecto. ¿Por qué ahí no se usa el indefinido?

....

h. ¿A qué hora suele dormirse la siesta en España?

....

3. **Compara los horarios de España con los de tu país.**

	En España la gente...	En tu país la gente...
a. Se levanta...		
b. Come...		
c. Cena...		
d. Sale por la noche...		
e. Ve la tele...		
f. Se acuesta...		

4. **Habla con tu compañero y di qué ventajas y desventajas tiene el horario de España.**

Ventajas
1. ....
2. ....
3. ....
4. ....
5. ....

Desventajas
1. ....
2. ....
3. ....
4. ....
5. ....

Contenidos funcionales

- Hablar del pasado
- Pedir disculpas, justificarse y aceptar las disculpas de alguien

Contenidos gramaticales

- Contraste pretérito indefinido, imperfecto y perfecto
- *Soler* + infinitivo

Contenidos léxicos

- Léxico relacionado con la narración: cuentos, fábulas, anécdotas, noticias…
- La vida en el siglo XX

Fonética y ortografía

- La tilde en interrogativos y exclamativos

Contenidos culturales

- Los amantes de Teruel

Relato

- *Abuelo, cuéntame…*

Cultura y ocio

ESPECTACULAR CONCIERTO DEL GRUPO *MOVIDA*

¿Qué ves?

1. Marcos fue al concierto de *Movida*, su grupo de música favorito. ¿Qué crees que le pasó?

2. Ordena las palabras para formas frases y saber qué pasó en el concierto.

a. de *Movida* / Marcos / en las Ventas. / fue al concierto

....

b. lanzó su guitarra / La cantante / cogió. / al público / y Marcos la

....

c. cogió la guitarra. / al escenario porque / Marcos subió

....

d. su canción / Marcos / favorita. / cantó con ellos

....

e. guitarra firmada. / El grupo / a Marcos la / le regaló

....

Trabajamos con el diálogo

3. Marcos le cuenta a su amiga Elena lo que le pasó en el concierto de *Movida*. Escucha y completa el diálogo.

Marcos: ¿Has visto, Elena? ¡Salgo en el ....1..........!

Elena: ¿Sí? ¡¿Qué dices?!

M.: Mira, mira…

E.: ¡Es verdad! Es el ....2.......... de *Movida*, ¿no?

M.: Sí, estuvo genial. Pero lo mejor de todo fue lo que me pasó allí. ¡Ha sido la mejor ....3.......... de mi vida!

E.: ¿Qué te pasó?

M.: Pues resulta que a **mitad** del concierto la cantante **lanzó** su guitarra al **público** y dijo que, si una persona la cogía, iba a tener una ....4........... Yo no podía imaginar que esa persona iba a ser yo, pero cuando la lanzó, no sé, vino directamente hacia mí y ¡la cogí!

E.: ¡Qué fuerte!

M.: Entonces la ....5.......... dijo que la sorpresa era subir al ....6.......... y cantar un **tema** con ellos.

E.: ¡Qué **corte**!

M.: Pues la verdad es que al principio sí, pero después me olvidé de que había tanta gente mirándonos y solo pensaba en que estaba al lado ¡del ....7.......... *Movida*! y que podía cantar con ellos. ¡Fue maravilloso!

E.: Me lo imagino…

M.: Y además, después del concierto, me firmaron la guitarra, me la ....8.......... y me hicieron una ....9.......... que hoy sale en todos los periódicos. Mira, mira lo que pone en la guitarra: "Para Marcos, una joven promesa del rock".

E.: ¡Qué pasada! ¡Esta sí es una **historia** para contársela a tus ....10..........!

4. Busca un sinónimo de estas palabras entre las que aparecen resaltadas en el texto.

a. Anécdota ➡ ....

b. Canción ➡ ....

c. Vergüenza ➡ ....

d. Tiró ➡ ....

e. En medio ➡ ....

f. Espectadores ➡ ....

5. Contesta las siguientes preguntas.

a. ¿Por qué crees que Elena le dice a Marcos que es una historia para contar a los nietos?

....

b. ¿Por qué dejó de pasar vergüenza Marcos?

....

c. ¿Por qué crees que le escribieron en la guitarra a Marcos *Para una joven promesa del rock*?

....

d. ¿Has vivido alguna experiencia parecida?

....

Practica lo que has aprendido con el material interactivo extra.

Hablar por hablar

> ## PEDIR DISCULPAS Y JUSTIFICARSE

■ Para **pedir disculpas** se usa:

Perdón.
Perdona (tú)/perdone (usted).
Perdóname (tú)/perdóneme (usted).
Lo siento (mucho/muchísimo/de verdad).
¡Cuánto lo siento!
Siento (mucho)...

■ Para **justificarse** cuando pedimos disculpas:

Es que...
No lo voy a volver a hacer más.
No va a volver a pasar.
Ha sido sin querer.
Yo no lo sabía.

Perdón por llegar tarde, **es que** el metro no funcionaba bien.
Perdóneme, ha sido sin querer.
Siento mucho haber cogido tu móvil sin permiso. **No lo voy a volver a hacer más.**

1. Relaciona las imágenes. Después escribe qué crees que dicen los personajes para justificarse.

 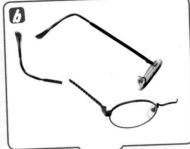 

1. ....
2. ....
3. ....

2. Escucha los siguientes diálogos e imagina qué ha pasado.

Diálogo 1:..
Diálogo 2:..

3. Habla con tu compañero.

a. ¿Cuándo fue la última vez que **pediste perdón**? ¿A quién se lo pediste? ¿Pusiste alguna excusa para justificarte? ¿Te perdonó?

b. ¿Cuándo fue la última vez que **te pidieron perdón a ti**? ¿Quién fue? ¿Te puso alguna excusa? ¿Le perdonaste?

ACEPTAR DISCULPAS

- Para **aceptar disculpas** de alguien se usa:

  No te preocupes.
  Tranquilo, no pasa nada.
  No tiene importancia.
  Te perdono.

- Algunas veces se añade una condición, que se introduce con *pero*:

  *Te perdono, **pero** no lo vuelvas a hacer más.*

4. 🔊21 **Escucha estos diálogos y relaciónalos con las imágenes.**

Diálogo: _____

Diálogo: _____

Diálogo: _____

5. 🔊21 **Vuelve a escuchar y completa.**

a.
Gabriel: ¡Eh! ¡Mira por dónde vas! ¡Me has dado con la mochila en la cabeza!

Álex: _____1_____, tengo prisa y no te he visto.

Gabriel: Bueno, _____2_____, pero ten cuidado.

b.
Olga: ¡Llevo más de media hora esperando!

Álvaro: _____3_____ el autobús ha tardado mucho en venir.

Olga: ¡Siempre me pones la misma excusa!

Álvaro: ¡Pero es verdad! Mira, ha tardado tanto, que mientras esperaba el autobús, te he comprado las flores que tanto te gustan.

Olga: Bueno, _____4_____, pero porque me has traído flores, que si no…

c.
Óscar: _____5_____ llamarte a estas horas, pero necesito para mañana el libro de Lengua, ¿me lo puedes llevar mañana a clase?

Carlos: Sí, claro, _____6_____, mañana te lo llevo, _____7_____, intenta acordarte de las cosas antes, ¡son las doce de la noche!

Óscar: Ya, lo siento, _____8_____.

6. **Habla con tu compañero. Sigue las instrucciones de tu recuadro.**

Alumno A

Situación 1. Empiezas tú.
- Invita a tu compañero, que es tu mejor amigo, a una fiesta. Acepta sus disculpas por no asistir a tu fiesta.

Situación 2. Empieza tu compañero.
- Tu compañero te ha dejado su pantalón favorito y dice que se lo has devuelto roto. Pídele perdón y justifícate.

Alumno B

Situación 1. Empieza tu compañero.
- Tu mejor amigo te ha invitado a una fiesta, pero otro amigo te ha invitado a otra fiesta más guay. Discúlpate y ponle una excusa para no ir.

Situación 2. Empiezas tú.
- Le has dejado tu pantalón favorito a tu compañero y te lo ha devuelto roto. Díselo. Luego, acepta sus disculpas.

  Practica lo que has aprendido con el material interactivo extra.

CONTRASTE PRETÉRITO INDEFINIDO, IMPERFECTO Y PERFECTO

■ Para **narrar** en pasado se usa:

Indefinido	Imperfecto	Perfecto
■ Se usa para hablar de acciones pasadas, **terminadas** en el momento en el que se habla y que **no tienen relación** con el presente. *Ayer **fui** en bici a clase.* *El año pasado **fui** de vacaciones a Menorca.*	■ Se usa para describir **situaciones** pasadas, con una cierta duración o acciones habituales en el pasado. *Aquel día **llovía** mucho.* *Antes yo siempre **iba** a Mallorca de vacaciones.*	■ Se usa para hablar de acciones en un **pasado reciente** o que **tienen relación** con el presente. *Últimamente **he tenido** que estudiar mucho.* *Este año **he ido** a Ibiza.*

1. Completa con el verbo entre paréntesis en el tiempo adecuado.

El ratoncito Pérez

Había una vez un príncipe llamado Buby que ....1............ (vivir) en un palacio. Sus padres ....2............ (ser) muy ricos y casi todos los días le ....3............ (regalar) algo. Un día, se le ....4............ (caer) su primer diente y su madre le ....5............ (decir):

—Si pones el diente bajo la almohada, el ratoncito Pérez te lo cambiará por un regalo.

Buby así lo ....6............ (hacer) y mientras esperaba la llegada del ratoncito, ...7............ (dormirse). De pronto, algo lo ....8............ (despertar) y ....9............ (ver) sobre la almohada a un pequeño ratón, que ....10............ (llevar) un sombrero y una maleta verde.

—¿ ....11............ (venir) para darme un regalo? Es que se me ....12............ (caer) un diente — ....13............ (decir) Buby.

—Tu regalo va a ser venir conmigo — ....14............ (responder) el ratón.

Entonces el ratón ....15............ (pasar) su cola por la nariz del niño y al instante:

—¡Oh! i ....16............ (convertirse) en un ratón como tú! — ....17............ (exclamar) Buby.

De esta forma los dos ....18............ (salir) del palacio para llevar un regalo a un niño que ....19............ (vivir) en una casa muy vieja y que ....20............ (ser) muy pobre.

(Basado en el cuento *Ratón Pérez* de Luis Coloma)

2. Marca qué expresa cada frase. Después, busca en el texto un ejemplo más para cada caso.

	Acción sin relación con el presente	Descripción de la situación	Acción en un pasado reciente	Acción habitual
a. Vivía con sus padres.	☐	☐	☐	☐
b. Me he convertido en un ratón.	☐	☐	☐	☐
c. Se le cayó su primer diente.	☐	☐	☐	☐
d. Casi todos los días le regalaban algo.	☐	☐	☐	☐

> *SOLER* + INFINITIVO

■ Para hablar de acciones que **se hacen** habitualmente, se usa el verbo *soler* en **presente + infinitivo**.

> Yo **suelo** ir en autobús al instituto, pero a veces, cuando hace calor, voy en bici.

■ Para hablar de acciones que **se hacían** habitualmente, se usa el verbo *soler* en **pretérito imperfecto + infinitivo**.

> Antes **solía** comer en el instituto, pero ahora como en casa de mis abuelos.

3. **Completa las frases con el verbo *soler* en imperfecto o en presente.**

a. Antes .... levantarme a las siete de la mañana, pero desde que vivo cerca del instituto .... levantarme a las ocho.

b. ¿Qué .... (tú) hacer ahora los domingos por la tarde?

c. Cuando voy al cine .... ver las películas en versión original.

d. Mamá, ¿este no es el restaurante donde .... (tú) celebrar mi cumple de pequeño?

4. **Imagina cómo era la vida de estas personas antes, qué les pasó y cómo son ahora. Escribe su historia usando el contraste de pasados, el verbo *soler* y las siguientes expresiones.**

> conocer a alguien ○ hacerse médico ○ tener un accidente ○ reencontrarse

Antes	5 de julio de 2005	Este año

Escribe aquí su historia

....
....
....

Antes	3 de marzo de 1985	Este año

Escribe aquí su historia

....
....
....

5. **Habla con tu compañero. Explícale qué cosas solías hacer antes que ya no haces.**

 Practica lo que has aprendido con el material interactivo extra.

1. Lee estos fragmentos y relaciónalos con su tipo de texto correspondiente.

a. HABÍA UNA VEZ UNA NIÑA QUE VIVÍA CON SU MADRE EN UNA CASITA EN EL BOSQUE. UN DÍA SU MADRE LE DIJO:
— HIJA MÍA, TIENES QUE IR A CASA DE TU ABUELITA PARA LLEVARLE...
(*CAPERUCITA ROJA*, ANÓNIMO)

b. Anoche cuando dormía soñé, ¡bendita ilusión!, que una fontana fluía dentro de mi corazón.
(*Anoche cuando dormía*, Antonio Machado)

c. *Dicen que en un país muy lejano había un dragón que se comía a las jóvenes del lugar. Las chicas se elegían por sorteo y un día le tocó a la hija del rey. Pero un apuesto caballero llegó en su caballo blanco...*

d. ROBO EN UN CHALÉ DE MARBELLA
La policía está investigando el misterioso robo, ocurrido ayer por la noche en un lujoso chalé de Marbella.

e. Había una vez una cigarra y una hormiga que vivían en el mismo prado. En verano, mientras la hormiga trabajaba, la cigarra cantaba...
(*La cigarra y la hormiga*, Esopo)

f. El otro día estaba en el metro y estaba tan cansada que corrí para sentarme en un asiento, pero había otro hombre que también se iba a sentar y al final, sin querer, me senté encima de él. ¡Qué vergüenza!

g. «Todavía recuerdo aquel amanecer en que mi padre me llevó por primera vez a visitar el Cementerio de los Libros Olvidados...».
(*La sombra del viento*, Carlos Ruiz Zafón)

☐ 1. Novela. ☐ 2. Noticia. ☐ 3. Cuento. ☐ 4. Fábula. ☐ 5. Poema. ☐ 6. Anécdota. ☐ 7. Leyenda.

2. Completa las frases con los tipos de textos.

a. La .... es una historia inventada. Los protagonistas siempre son animales y el final de la historia suele tener una lección moral a la que se le llama *moraleja*.

b. La .... es una historia normalmente divertida o curiosa que nos ha pasado en nuestra vida, aunque después de contarla muchas veces es habitual introducir elementos nuevos inventados.

c. La .... es una historia inventada, aunque siempre se dice que tiene algo de realidad. Es muy antigua y no se sabe quién es el autor porque ha llegado a nuestros días de forma oral.

d. La .... es un relato que puede ser sobre un hecho real o inventado. No es para niños.

e. El .... suele estar escrito en verso y rimar.

f. Las .... las encontramos en los periódicos.

g. El .... es un relato para niños.

3. Escucha y di de qué género se trata.

1. ....   2. ....   3. ....

4. Lee esta fábula y contesta las preguntas.

Fábula de la cigarra y la hormiga

Había una vez una cigarra y una hormiga que vivían en el mismo prado. En verano, mientras la hormiga trabajaba, la cigarra cantaba y se reía de la pobre hormiguita.

-¿Por qué trabajas tanto y no disfrutas del verano? -le decía la cigarra.

Pero llegó el duro invierno y la cigarra no tuvo nada que comer, dejó de cantar y fue a casa de la hormiga para pedirle ayuda. Cuando entró en la casa, la cigarra vio a la hormiga calentita y rodeada de comida. La cigarra le pidió algo de comer, pero la hormiga le respondió:

-¿Ya no cantas ni te ríes? Pues ahora no quiero compartir contigo lo que tanto trabajo a mí me ha costado.

Y así fue como el trabajo de la hormiga se vio recompensado.

(Adaptado de *La cigarra y la hormiga*, fábula de Esopo)

a. ¿Para qué trabaja tanto la hormiga durante el verano?

b. ¿Por qué la hormiga no ayuda a la cigarra?

c. ¿Por qué la cigarra tiene hambre y frío en invierno?

5. Convierte la fábula anterior en una noticia. Para escribir una noticia tienes que seguir la siguiente estructura:

25 de noviembre

TITULAR. Tiene que ser corto y destaca lo más importante de la noticia.

ENTRADA. Resume la noticia y responde a: ¿Qué? ¿Quién? ¿Cómo? ¿Dónde? ¿Cuándo? ¿Por qué?

CUERPO. Texto que narra los acontecimientos más importantes de la noticia en orden de mayor a menor importancia.

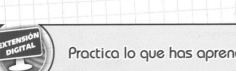

EXTENSIÓN DIGITAL Practica lo que has aprendido con el material interactivo extra.

La tilde en interrogativos y exclamativos

1.  **Escucha las frases y marca si se trata de una interrogación o una exclamación.**

	1	2	3	4	5	6
Interrogación	☐	☐	☐	☐	☐	☐
Exclamación	☐	☐	☐	☐	☐	☐

- Como sabes, en español las frases interrogativas van introducidas por el signo de interrogación ¿, y las exclamativas por le signo de exclamación ¡.

> ¡Qué día tan bueno hace!
>
> ¿Qué tal estás?
>
> De todos tus compañeros de clase, ¿quién es el más simpático?
> Ayer fui a la fiesta de Jaime y ¡me lo pasé genial!

- En las **frases interrogativas** o **exclamativas indirectas** no se escriben los signos de interrogación o de exclamación:

> ¿A qué hora va a llegar Alberto? ➡ No sé a qué hora va a llegar.
> ¡Qué alto estás! ➡ Mira qué alto estás.

2. **Escribe los signos de interrogación y exclamación necesarios.**

- **a.** Cuál es tu color favorito
- **b.** Oye, vas a ir a la fiesta
- **c.** Qué bonita tu camiseta
- **d.** No sé dónde he dejado el libro
- **e.** El concierto de ayer, fue genial!
- **f.** Cuántos años tienes

- Las palabras **qué, quién, cuál, cuánto, cuándo, dónde** y **cómo** van **siempre acentuadas** cuando son interrogativas o exclamativas directas o indirectas.

> ¿**Dónde** estuviste ayer? / No sé **dónde** estuviste ayer.
> ¡**Cuánta** gente ha venido! / Mira **cuánta** gente ha venido.
> ¿**Quién** quiere cenar? / A ver **quién** viene a cenar.

3. **Elige la opción correcta en cada caso.**

- **a.** Voy al gimnasio **cuando/cuándo** puedo.
- **b.** No sé **que/qué** tengo que hacer.
- **c.** No me has dicho **cuantos/cuántos** años tienes.
- **d.** ¡**Cómo/Como** has venido tan tarde!
- **e.** Oye, ¿puedes decirme **que/qué** hora es?
- **f.** El coche no es tan rápido **cómo/como** el metro.

4. **Dictado.**

 Practica lo que has aprendido con el material interactivo extra.

Prueba de comprensión auditiva

1. **25** **Escucha la audición y elige la opción correcta.**

1. La noticia es sobre...

   a. el Mundial de Fútbol.
   b. una encuesta sobre cómo se vio en el mundo la final de España.
   c. una encuesta sobre cómo se vio en España la final del Mundial.

2. La mayoría vio la final...

   a. en casa.
   b. en un bar.
   c. en la calle.

3. La mayoría vio la final...

   a. sola.
   b. con más gente.
   c. con su familia.

4. La mayoría de los que vieron la final en las pantallas gigantes...

   a. tenía entre 25 y 34 años.
   b. tenía entre 14 y 24 años.
   c. estaba en grupos de más de 5 personas.

5. El estudio se realizó preguntando...

   a. a personas de más de 14 años.
   b. al 88,1 % de los españoles.
   c. a más de 800 personas.

6. La final...

   a. fue en Sudáfrica y jugó España contra Holanda.
   b. la vio el 40,3 % de los españoles.
   c. no se vio en los bares.

Prueba de expresión e interacción escritas

2. **Has cambiado de ciudad. Escribe un correo electrónico a un amigo (70-80 palabras). En él debes:**

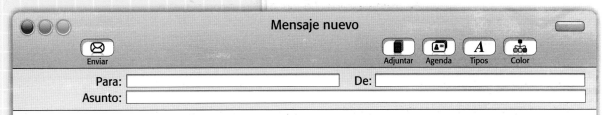

■ Comparar tu nueva ciudad con la anterior.

■ Describir tu nueva casa.

■ Explicar cómo es la gente que has conocido.

Mensaje nuevo				
✉ Enviar		Adjuntar	Agenda	Tipos Color

Para: _____ De: _____
Asunto: _____

Los amantes de Teruel

1. Ordena las siguientes palabras para descubrir la definición de una palabra que has aprendido en esta unidad.

> pero que ○ algo de realidad. ○ y anónima ○ inventada ○ una historia ○ suele tener ○ Es

....

Palabra: ....

2. Las siguientes viñetas representan una de las leyendas españolas más famosas. Obsérvalas, imagina la historia y cuéntasela a tu compañero. ¿Coincidís?

3. Ahora lee la leyenda real y comprueba si es igual a la vuestra. Antes tienes que ordenar los párrafos.

1. ☐ 2. ☐ 3. ☐ 4. ☐ 5. ☐ 6. ☐ 7. ☐

Los amantes de Teruel

a. Un día Isabel conoció a Juan Diego Martínez de Marcilla, un joven muy valiente y guapo, pero procedente de una familia humilde y con pocos recursos económicos. Pronto se hicieron amigos y de esa amistad fue naciendo un amor cada vez más profundo.

b. Como querían estar juntos para siempre, decidieron hablar con sus padres y confesarles su amor, pero como él era pobre, los padres de Isabel se negaron a aceptarlo, aunque, afortunadamente, le concedieron un plazo de cinco años para hacer fortuna. Si lo conseguía, podría casarse con Isabel.

c. Las familias de los amantes, tristes por la desgracia, entendieron entonces la fuerza de aquel amor y decidieron enterrarlos juntos. Así fue como los amantes pudieron estar eternamente unidos.

d. Al día siguiente, las campanas de boda se tornaron en tristes campanas de funeral. En la iglesia, de entre la gente que lloraba a Juan, apareció una mujer de luto que se acercó a él: era Isabel, que quiso darle el último beso que le negó la noche anterior. Los asistentes, maravillados por lo largo de aquel beso, fueron a separarlos, descubriendo entonces que ella también había muerto.

e. De este modo, Juan se marchó a la guerra en busca de fortuna. Pasados cinco años, el mismo día que terminaba el plazo, regresó a Teruel rico y famoso. Cuando llegó, vio la villa en fiestas y oyó el sonido de campanas de boda, que anunciaban que su amada Isabel acababa de casarse con un hombre rico.

f. El joven, desconsolado por la noticia, decidió despedirse para siempre de su amada. Escaló el muro de su jardín y le pidió el último beso, pero Isabel, aunque le quería, se lo negó porque ya era una mujer casada. Juan no pudo soportar el dolor, cayó al suelo y murió allí mismo.

g. Había una vez, a principios del siglo XIII, una bella joven que habitaba en una ciudad española llamada Teruel. La joven se llamaba Isabel de Segura y pertenecía a una de las familias más ricas de la ciudad. Sus padres la querían mucho porque era muy buena con ellos y era su única hija.

4. ¿Recuerdas qué es una moraleja? ¿Cuál crees que se deduce de esta leyenda? Háblalo con tu compañero.

a. El amor es más fuerte que la muerte y, si es verdadero, nada ni nadie lo puede vencer.

b. Muchas veces los padres, pensando que están haciendo lo mejor para sus hijos, se equivocan y lo que consiguen es hacerlos más desgraciados.

c. No se pueden cerrar los ojos a los sentimientos de otras personas ni intentar que estas sientan lo que nosotros queremos.

5. De esta leyenda, en la que los dos amantes murieron por amor, surgió una frase popular: "Los amantes de Teruel, tonta ella, tonto él".

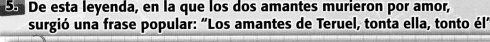

Creo que…

a. se le dice a la gente que, por amor, se comporta de forma incomprensible para los demás.

b. quiere decir que los amantes fueron tontos porque no supieron convencer a los padres de Isabel para que los dejaran casarse.

c. quiere decir que el amor nos hace ser un poco "tontos" y que por él nos dejamos llevar más por los sentimientos o instintos que por la razón.

6. ¿Conoces alguna leyenda similar? ¿Tiene moraleja? Cuéntasela a tu compañero.

Practica lo que has aprendido con el material interactivo extra.

¡Me lo sé!

Pedir disculpas y justificarse ..../5

1. Relaciona cada disculpa con la justificación correspondiente.

1. Perdona por no haberte cogido el teléfono,

2. Perdóname por haberme comido todo el pastel,

3. Siento no haberte llamado últimamente,

4. Perdone por no cederle el asiento, señora,

5. Perdóname por haber hecho una fiesta en casa el fin de semana sin avisarte,

a. te prometo que no lo volveré a hacer sin tu permiso.

b. es que no he visto que estaba usted de pie.

c. es que estaba en clase y no podía hablar.

d. es que he estado muy ocupado con los exámenes finales.

e. no sabía que tú no lo habías probado.

Aceptar disculpas ..../5

2. Escribe una frase aceptando cada disculpa del ejercicio anterior.

a. ....

b. ....

c. ....

d. ....

e. ....

Contraste pretérito indefinido, imperfecto y perfecto ..../14

3. Completa el diálogo conjugando los verbos en el tiempo adecuado.

– Cuando ....1.......... (ser) pequeña siempre ....2.......... (ir) de vacaciones a la playa. Recuerdo que un año mi padre ....3.......... (decidir) ir a la montaña y ....4.......... (pasar, nosotros) el verano en Asturias. Al principio no me ....5.......... (gustar) porque ....6.......... (aburrirse) y no ....7.......... (conocer) a nadie, pero después ....8.......... (hacer) muchos amigos y desde entonces ....9.......... (ir) a Asturias muchas más veces.

– Pues yo de pequeña nunca ....10.......... (poder) ir de vacaciones porque mi padre ....11.......... (trabajar) siempre en verano. La primera vez que ....12.......... (ir) de vacaciones ....13.......... (tener) ya 15 años. Eso sí, desde entonces ....14.......... (viajar) mucho.

Soler + infinitivo ..../4

4. Observa las imágenes y escribe qué solía hacer Álex de pequeño.

Tipos de textos

......../6

5. Di si las siguientes afirmaciones son verdaderas (V) o falsas (F). Después, corrige las falsas y escríbelas correctamente.

V F

a. Una leyenda es un historia divertida o curiosa que nos ha pasado en nuestra vida.

b. Las noticias aparecen en los periódicos.

c. La fábula suele estar escrita en verso y rimar.

d. La novela es un relato que puede tratar de hechos reales o inventados. No es para niños.

e. La anécdota es una historia anónima, inventada, pero que se dice que tiene algo de realidad.

f. Un cuento es un relato para niños en los que los protagonistas siempre son animales.

....

....

....

....

La tilde en interrogativos y exclamativos

......../6

6. Acentúa las palabras *como, cuando, donde* y *que* en caso necesario.

a. ▶ Me pregunto donde estará mi libro de Lengua. ¿Tú sabes donde puede estar?

b. ▶ ¡Como lo voy a saber yo! Hijo, como eres tan despistado seguro que te lo has olvidado en cualquier sitio. ¿Cuando fue la última vez que lo usaste?

c. ▶ Pues… Yo que sé. ¡Ah, sí! Recuerdo que ayer lo usé en clase.

d. ▶ Y, ¿estás seguro de que lo cogiste cuando saliste de clase?

e. ▶ Es que no me acuerdo.

f. ▶ Pues si no está en tu mochila, seguro que sigue en clase, en el mismo sitio donde lo dejaste.

Los amantes de Teruel

......../4

7. Contesta las siguientes preguntas.

a. ¿La historia de los amantes de Teruel es una fábula?

b. ¿Con qué otro nombre se conoce a Juan Diego de Marcilla y a Isabel de Segura?

c. ¿Por qué no aceptaban a Juan Diego los padres de Isabel?

d. ¿Qué frase popular salió de esta historia? ¿Qué significa?

EXTENSIÓN DIGITAL

Practica lo que has aprendido con el material interactivo extra.

Érase una vez...

1. Observa las imágenes y relaciónalas con la definición correspondiente.

a □ Guateque **b** □ Censura **c** □ Tranvía **d** □ Mili **e** □ Tocadiscos **f** □ Instituto mixto

1. Aparato que sirve para escuchar discos.

2. Fiesta casera, generalmente de gente joven, en la que se merienda y se baila.

3. Abreviatura de *milicia* (era el servicio militar obligatorio).

4. Centro en el que estudian chicos y chicas.

5. Vehículo eléctrico que circula sobre raíles en el interior de una ciudad para transportar viajeros.

6. Acción de cambiar o prohibir una obra o película por razones ideológicas, morales o políticas.

2. ¿A qué época crees que pertenecen? ¿Crees que son todas de la misma época? Discútelo con tu compañero.

3. Lee el relato y descubre las respuestas al ejercicio anterior.

Abuelo, cuéntame...

¿Sabes que yo nunca pude ir de vacaciones hasta que me casé? Cuando yo tenía tu edad muy pocas personas podían veranear fuera de sus ciudades, solo lo hacían los que tenían más dinero o los extranjeros que venían a disfrutar del buen clima y de las playas de España. Pero aunque no íbamos de vacaciones también sabíamos pasárnoslo bien. Por las tardes, cuando ya no hacía tanto sol, sacábamos las sillas a la puerta de casa y nos quedábamos hablando todos los vecinos hasta que se hacía de noche. Además, los domingos solíamos ir al campo y pasábamos allí el día; los mayores jugaban al dominó o a las cartas y se echaban una siesta después de comer, y los más jóvenes nos bañábamos en el río.

Todo era muy diferente en los años 60. Mi instituto, como la mayoría en aquella época, no era mixto, no había chicas, siempre se rezaba antes de empezar la clase y a los profesores siempre les tratábamos de usted. A la Universidad solo llegaban algunos. La gente se casaba muy joven. Normalmente se dejaban muy pronto los estudios y se empezaba a trabajar para aprender un oficio. Además, los chicos tenían que ir a la mili, que era obligatoria.

Todo era muy diferente, las comidas eran caseras y no había congeladas o "medio hechas". Tampoco existía el microondas, en fin, hijo, que la comida era más sana y no había esas hamburguesas que tanto os gustan ahora.

Hoy en día tenéis mil *cosas para hacer, ¡y eso que siempre estáis aburridos!* Nosotros salíamos por las tardes a pasear o celebrábamos guateques con tocadiscos en casa de algún amigo. A veces íbamos a las salas de baile, pero no se parecían en nada a vuestras discotecas.

Tampoco había televisión en casa, así que cuando había algún acontecimiento importante nos íbamos a casa de algún vecino que sí tenía tele o al teleclub, que era un lugar de reunión para ver programas de televisión. Al cine sí que íbamos, claro que no tanto como vosotros, pero ¡qué diferencia con el cine de ahora! Aquellas sí que eran buenas películas... Me acuerdo de que si salía algún beso cortaban la escena y además, con la censura, muchas películas no podían verse en España. Cuando tu abuela y yo ya éramos novios no podíamos ir solos al cine, siempre nos tenía que acompañar su hermana.

En una ciudad como Madrid había tranvía, autobuses de dos plantas y hasta metro. Y, aunque no todas las familias tenían coche, estos cada vez se veían más. El coche y la moto de moda eran el Seiscientos y la Vespa.

A los 21 años me casé y a los 22 ya nació tu padre. Ya ves qué poco duró mi juventud. Hoy día las cosas han cambiado mucho. Así que aprovecha tú la juventud ahora que puedes...

4. En la narración aparecen verbos en pretérito indefinido (I), en imperfecto (IM) y en perfecto (P). Busca un ejemplo de cada uno y explica su uso.

	Ejemplo	Uso
I		
IM		
P		

5. ¿Piensas que es muy diferente la vida de aquellos años a la que lleváis vosotros ahora? Busca diferencias y similitudes.

	Antes	Ahora
Vacaciones		
Enseñanza		
Comidas		
Tiempo libre		
Cine y televisión		
Relaciones		
Transportes		

6. ¿En qué crees que fue mejor esa época? ¿Y la época actual?

1. Escucha a estas personas y elige la opción correcta.

1. Casa Botín…
   a. es el mejor restaurante del mundo.
   b. es el edificio más antiguo del mundo.
   c. es el restaurante más antiguo del mundo.

2. ¿Dónde está la estatua?
   a. En el parque del Retiro.
   b. En Portugal.
   c. En un monte de Madrid.

3. *Me da mucho yuyu* significa:
   a. me da risa.
   b. me da miedo.
   c. no me lo creo.

4. ¿De qué situación hablan?
   a.   **b.**

2. Lee la noticia y complétala con estos verbos en la forma indicada.

Pretérito perfecto	Pretérito indefinido	Pretérito imperfecto
confesar ■ convertirse	poder ■ falsificar	dudar ■ hacer

29 de agosto. Este fin de semana la española Edurne Pasabán .... 1 .... oficialmente en la primera mujer en escalar los catorce 'ochomiles', es decir, las catorce cumbres más altas del mundo. Este título lo tenía la escaladora Eun Sun conocida como Miss Oh, pero se ha demostrado que la alpinista .... 2 .... unas fotos en las que decía estar en la cima del Kanchenjunga. Tal como ella misma .... 3 ...., esas fotos fueron tomadas desde más abajo. Según ella no .... 4 .... tomar las fotos en la cumbre porque .... 5 .... muy mal tiempo. Tanto Edurne Pasabán y todo su equipo, como la Federación de alpinismo, ... 6 .... sobre la subida de Eun Sun. Miss Hawley, la juez mundial del alpinismo, ha investigado el tema.

3. Estas son las pruebas con las que trabajó Miss Hawley. Míralas y reconstruye con tu compañero el veredicto de la investigación.

PRUEBAS DE OTROS ALPINISTAS

PRUEBAS DE EDURNE PASABÁN

PRUEBAS DE MISS OH

Miss Hawley tomó declaraciones a varios alpinistas que alcanzaron la cima en esas fechas y aseguraron que...

4. 🎧27 **Ahora escucha las conclusiones de Miss Hawley y compáralas con las que habéis escrito.**

5. **Imagina que eres Miss Oh y estás arrepentida por lo que has hecho. Escribe una carta de disculpa para Edurne y justifica tu actuación.**

Querida Edurne:

6. **Estos dibujos ilustran una antigua leyenda. Ordénalos y cuéntale la historia a tu compañero.**

7. 🎧28 **Ahora escucha la leyenda y comprueba el orden correcto. ¿Coincide con la leyenda que has imaginado?**

Construyendo un futuro

Contenidos funcionales

- Hablar de planes
- Hacer conjeturas
- Hacer promesas
- Hablar de acciones futuras que dependen de una condición

Contenidos gramaticales

- Futuro imperfecto regular e irregular: morfología y usos
- Expresiones temporales de futuro
- *Si* + presente + futuro

Contenidos léxicos

- Política: las elecciones
- Medioambiente

Fonética y ortografía

- Acentuación: repaso y continuación

Contenidos culturales

- Parques Nacionales de España

Relato

- *Viaje al futuro*

Marta   Víctor

¿Qué ves?

1. **Fíjate en la imagen y marca a quién se refiere en cada caso.**

	Marta	Víctor	Los dos	Ninguno
a. Va a hacer deporte.	☐	☐	☐	☐
b. Va a pintar.	☐	☐	☐	☐
c. Va a tocar un instrumento.	☐	☐	☐	☐
d. Lleva puestas unas botas.	☐	☐	☐	☐
e. No va a jugar al tenis.	☐	☐	☐	☐
f. Lleva un pincel.	☐	☐	☐	☐
g. Va a estudiar Matemáticas.	☐	☐	☐	☐

2. **Relaciona las dos columnas para saber qué actividades van a hacer Marta y Víctor esta tarde.**

1. Va a hacer...   •   •   **a.** la guitarra.
2. Va a montar a...   •   •   **b.** los deberes.
3. Va a ir a clase de...   •   •   **c.** deporte.
4. Va a tocar...   •   •   **d.** pintura.
5. Van a practicar...   •   •   **e.** caballo.

Trabajamos con el diálogo

3. **Escucha el diálogo y completa.**

Marta: Todavía no sé qué quiero estudiar cuando empecemos ....1............. ¿Tú ya sabes qué vas a estudiar?

Víctor: Me encanta la pintura, así que me imagino que estudiaré ....2............, como mi hermana mayor. Ella está muy contenta y dice que la universidad es genial.

M.: Pero tu hermana estudia en ....3............, ¿verdad?

V.: Sí, le encanta la ciudad y está muy contenta.

M.: ¿Y tú también quieres irte a estudiar allí?

V.: Bueno, supongo que iré a Barcelona o quizás a ....4............. La universidad de Salamanca es preciosa y muy antigua y la ciudad tiene mucha marcha, porque hay mucha gente joven.

M.: Yo creo que me quedaré aquí en Zaragoza y estudiaré ....5............ o Enfermería. Víctor… si te vas…, ¡qué pena!

V.: Bueno, bueno, que solo estoy haciendo ....6............. Todavía no es nada seguro, ¡y faltan unos años! Además, si me voy, te prometo que vendré a verte cada fin de semana.

M.: ¿Me lo prometes?

V.: ¡Prometido!

4. **Escucha otra vez y contesta _sí_ o _no_, según lo que dicen Marta y Víctor.**

	sí	no
a. Marta no tiene claro qué va a estudiar.	☐	☐
b. Víctor ya sabe que va a estudiar en Salamanca.	☐	☐
c. Víctor y Marta viven en Zaragoza.	☐	☐
d. A Marta le da igual si Víctor se va a estudiar a otra ciudad.	☐	☐
e. Víctor le hace una promesa a Marta.	☐	☐

5. **Relaciona las frases con las fotografías.**

a. Me imagino que tendré que fregar los platos.

b. Voy a subir.

c. Te prometo que todo saldrá bien.

d. Te juro que te compraré otras.

e. Creo que este año sí aprobaré.

f. Para mi fiesta de cumpleaños, este año pienso ir también a un karaoke.

Hablar por hablar

> ## HACER CONJETURAS

■ Para hacer **suposiciones** o **conjeturas**:

Creo que mañana lloverá.
Me imagino que no podremos ir al campo.
Supongo que nos quedaremos en casa.

1. Relaciona las fotografías según lo que van a hacer en el futuro. Habla con tu compañero.

2. ¿Qué personas del ejercicio 1 van a hacer estas actividades? ¿Coinciden con tus suposiciones?

> *Irá al mecánico* ○ *Irá de expedición a la selva* ○ *Subirá al Everest*
> *Irá a la universidad* ○ *Cocinará pescado a la plancha*

 _____   _____ **c** _____

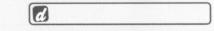 _____ **e** _____

3. En parejas, hablad sobre lo que creéis que vais o no vais a hacer en vuestro futuro.

> ► Supongo que viajaré a España.
> ► Yo también.

Hablaré español perfectamente	Seré un deportista profesional
Hablaré muchos idiomas	Tocaré un instrumento
Viviré en muchos países	Haré *puenting*
Escribiré un libro	Seré famoso

> **HACER PROMESAS**

■ Para hacer **promesas**:

Te prometo que...   Te lo prometo/juro.   Te doy mi palabra.

Te juro que...   ¡Prometido!   Lo haré sin falta.

Te prometo que *no volveré a llegar tarde.*   ***Te juro qué*** *no te volveré a mentir.*

4. 🔊30 **Escucha y completa los diálogos. Después relaciónalos con sus imágenes.**

a.
Madre: ¡El próximo fin de semana estás castigado! Ayer llegaste tardísimo.
Hijo: .... que no volverá a pasar, de verdad.
Madre: Siempre dices lo mismo y nunca haces caso. ¡No hay más que hablar!
Hijo: ¡Pero, mamá...!

b.
Luis: ¡Llevo media hora esperándote y la película ya ha empezado! La próxima vez entro yo solo al cine y no te espero.
Sandra: Anda, no te enfades. He llamado para avisarte... .... que no volverá a pasar.
Luis: ¡Pero si desde que te conozco siempre llegas tarde!

c.
Pedro: Tu fiesta ha estado genial. Nos hemos divertido muchísimo.
Daniel: Me alegro. A ver si celebramos otra para tu cumpleaños.
Pedro: ....

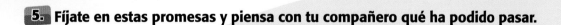

5. **Fíjate en estas promesas y piensa con tu compañero qué ha podido pasar.**

1. Te prometo que no me meteré en tu correo electrónico.

2. Te juro que tendré mucho cuidado con él.

3. De verdad que lo haré sin falta. ¡Prometido!

6. **Elige una de las promesas anteriores y escribe con tu compañero un diálogo como los del ejercicio 4.**

Practica lo que has aprendido con el material interactivo extra.

Paso a paso

> FUTURO IMPERFECTO

■ El futuro imperfecto sirve para hablar del futuro y hacer suposiciones, predicciones y promesas. Se forma añadiendo al infinitivo del verbo las siguientes desinencias (igual para las tres conjugaciones): -é, -ás, -á, -emos, -éis, -án.

Verbos regulares

	Estudiar	Comer	Vivir
Yo	estudiar**é**	comer**é**	vivir**é**
Tú	estudiar**ás**	comer**ás**	vivir**ás**
El/ella/usted	estudiar**á**	comer**á**	vivir**á**
Nosotros/as	estudiar**emos**	comer**emos**	vivir**emos**
Vosotros/as	estudiar**éis**	comer**éis**	vivir**éis**
Ellos/ellas/ustedes	estudiar**án**	comer**án**	vivir**án**

■ Los **verbos irregulares** presentan alguna variación en la raíz, pero mantienen las mismas desinencias.

Verbos irregulares

Tener	➡	ten**dr**-	Venir	➡	ven**dr**-	Caber	➡	ca**br**-	Hacer	➡	**har**-
Poder	➡	po**dr**-	Salir	➡	sal**dr**-	Haber	➡	ha**br**-	Decir	➡	**dir**-
Poner	➡	pon**dr**-	Valer	➡	val**dr**-	Saber	➡	sa**br**-	Querer	➡	que**rr**-

■ El futuro va también acompañado de las siguientes **expresiones de tiempo**:

El año/mes
La semana/primavera] *que viene* iré a España.
Dentro de dos años/un rato/unos días vendrá a casa.   ***Mañana*** *tendré un examen.*
El/la próximo/a semana/mes/año tendré 17 años.   ***Pasado mañana*** *sabremos las notas.*

1. **Completa conjugando en futuro imperfecto los verbos entre paréntesis. ¿Qué situación se describe?**

Veo... que dentro de poco ....1......... (conocer, tú) a una persona que ....2.......... (ser) muy importante para ti. ....3......... (Salir, vosotros) juntos. Un día esta persona ....4......... (querer) hacerte un regalo, pero tú le .....5..... (decir) que no puedes aceptarlo. ......6...... (Venir, tú) otra vez aquí porque ....7......... (tener, tú) muchas dudas y me ......8...... (pedir) consejo. Yo te lo ....9......... (dar). Al mes siguiente, ...10....... (hacer, tú) una fiesta, ...11........ (haber) mucha gente y tú te ....12....... (poner) un vestido blanco precioso.

2. **Ordena las siguientes expresiones de tiempo de más a menos cercanas en el futuro.**

el mes que viene ○ dentro de dos años ○ dentro de un rato ○ mañana
pasado mañana ○ el año que viene ○ las próximas Navidades

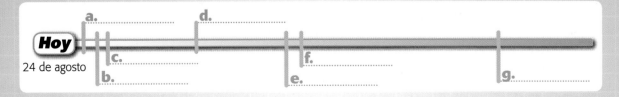

> *SI* + PRESENTE + FUTURO

■ Para hablar de acciones futuras que dependen de una **condición** usamos la siguiente estructura:

Si +	presente +	futuro
Si	*no llueve,*	*iremos a la playa.*

3. **Forma frases relacionando los elementos de las dos columnas.**

1. Si el metro no funciona, •   • **a.** te llamaré.
2. Si me invita a su cumpleaños, •   • **b.** iré a pie.
3. Si me pongo enferma, •   • **c.** no podré ir a la excursión.
4. Si no nos vemos esta tarde, •   • **d.** sabrás la respuesta.
5. Si piensas un poco, •   • **e.** tendré que comprarle un regalo.

4. **Completa el texto con los verbos que faltan.**

castigan ○ *llegaré* ○ *podré* ○ *vuelvo* ○ *veré*
vemos ○ *castigarán* ○ *voy* ○ *aburriré*

Si _____1_____ la película de las 20:00 h, _____2_____ muy tarde a casa. Si _____3_____ a llegar tarde, seguro que mis padres me _____4_____. Si me _____5_____, no _____6_____ ir de vacaciones este verano al pueblo de mi familia. Si no _____7_____ al pueblo, no _____8_____ a mis amigos y me _____9_____ mucho. Lo bueno es que tampoco tendré que ver a mi primo. ¡Es un pesado!

5. **Completa las siguientes frases con tu opinión.**

a. Si ...., daré la vuelta al mundo.
b. Si tengo suerte, ...
c. Si el sábado hace mal tiempo, ...
d. Si ...., aprenderé japonés.
e. Si me toca la lotería, ...

6. **Escribe condiciones para conseguir estas cosas.**

estar en forma ○ *ser feliz* ○ *ser rico* ○ *tener el mejor trabajo del mundo*

 Practica lo que has aprendido con el material interactivo extra.

Palabra por palabra

1. Fíjate en las imágenes y separa los fenómenos en positivos o negativos. Añade a la lista otras palabras que conozcas relacionadas con el medioambiente.

Consumo responsable

Reciclaje

Contaminación

Energía renovable

Sequía

Transporte ecológico

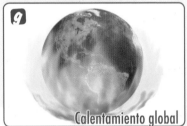

Calentamiento global

Deshielo

Deforestación

 **Positivos**

 **Negativos**

2. ¿Y tú? ¿De qué color ves el futuro en relación con el medioambiente? Discute con tu compañero sobre los fenómenos anteriores: uno de los dos será el pesimista y el otro el optimista.

Pesimista: En el futuro habrá sequía y no habrá suficiente agua para todos.

Optimista: Pero si consumimos el agua de forma responsable, eso no pasará.

- Para hablar de acciones o acontecimientos futuros, se puede usar el futuro imperfecto (menos seguro de realizar) o la forma *ir a* + infinitivo (más seguro de realizar):
  *Esta tarde **visitaremos / vamos a visitar** la exposición.*

- Para hacer predicciones se prefiere utilizar el futuro imperfecto:
  *Dentro de cien años **se extinguirán** algunos animales.*

La política

3. Lee el siguiente artículo aparecido en un periódico.

Unas elecciones muy reñidas

Mañana se celebrarán las elecciones a la presidencia del país. Las encuestas de estos días señalan que los dos principales partidos están muy igualados y que puede pasar cualquier cosa. Pablo Tomeu y Francisco Torres, los dos principales candidatos a presidente, se muestran optimistas ante estas elecciones, aunque habrá que esperar hasta contar todos los votos para conocer el resultado final.

Los dos partidos han prometido hacer grandes cambios en el país si consiguen ganar las elecciones. El candidato Pablo Tomeu ha dicho que si gana, hará una gran reforma en educación. También ha dicho que mejorará la salud pública y que abrirá varios hospitales nuevos.

El programa del partido de Francisco Torres apuesta por el medioambiente. Como ha dicho a lo largo de toda su campaña, este será un punto fundamental: si el partido de Torres sale elegido, se incentivará el uso del transporte público, se bajará el precio a los coches eléctricos, se trabajará en las energías renovables, etc.

Hasta mañana por la tarde no conoceremos quién será el futuro presidente del país y los cambios que viviremos en los próximos cuatro años.

4. Contesta verdadero (V) o falso (F).

	V	F
a. El partido de Tomeu es el favorito.	☐	☐
b. Los dos principales candidatos piensan que pueden obtener buenos resultados.	☐	☐
c. Se presentan más de dos partidos a estas elecciones.	☐	☐
d. El partido que quiere mejorar la sanidad, también quiere mejorar el transporte.	☐	☐
e. Las elecciones se celebran cada cinco años.	☐	☐

5. Se van a celebrar elecciones en tu ciudad y tú eres uno de los candidatos a alcalde. ¿Cuál será tu programa? Escribe tu discurso utilizando el vocabulario que has aprendido y hablando de los siguientes temas.

medioambiente ○ educación ○ trabajo ○ transporte ○ salud

Estimados ciudadanos:
Prometo que construiré más zonas verdes, así los niños podrán jugar en los parques. Además, si me votáis, el transporte en la ciudad será más barato. Si mi partido gana, os prometo que no habrá tanta contaminación y...

EXTENSIÓN DIGITAL — Practica lo que has aprendido con el material interactivo extra.

Acentuación

1. Escucha estas palabras y subraya la sílaba tónica.

cuentamelo ○ corazon ○ sabado ○ pensar ○ salio ○ joven ○ historia
caracter ○ musica ○ comic ○ fabrica ○ cancion ○ ciudad
despues ○ daselo ○ devuelvemelo ○ gracias ○ palo ○ lapiz ○ verano
maravilla ○ jardin ○ dimelo ○ di<u>fi</u>cil ○ aqui ○ rapido ○ politico

2. Ahora clasifícalas todas según la situación de su sílaba tónica y pon las tildes necesarias

• Palabras **agudas** ▢▢▮

....

• Palabras **llanas** ▢▮▢   difícil

....

• Palabras **esdrújulas** ▮▢▢

....

• Palabras **sobreesdrújulas** ▮▢▢▢

....

3. Fíjate en las palabras que llevan tilde y completa la norma.

Las palabras **agudas** se acentúan cuando terminan en ...., ... o ....
Las palabas **llanas** se acentúan cuando termina en una consonante distinta de .... o ....
Las palabras **esdrújulas** o **sobreesdrújulas** se acentúan ....
Recuerda que las palabras **que, como, donde, cuando** y **cuanto** tienen tilde solamente en las frases .... y ....
Por ejemplo: ¿De dónde eres? ¡Qué calor!

4. Dictado.

1. ....
2. ....
3. ....
4. ....
5. ....
6. ....
7. ....

EXTENSIÓN DIGITAL   Practica lo que has aprendido con el material interactivo extra.

Prueba de comprensión de lectura

1. Teo va a pasar unos días en Lanzarote y le escribe un correo electrónico a su amigo Luis, que vive allí, para pedirle información sobre la isla. Lee el texto y elige la respuesta correcta (a, b, c).

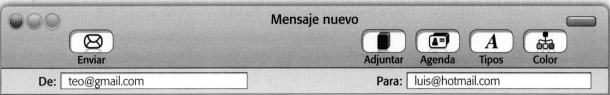

Mensaje nuevo

Enviar   Adjuntar   Agenda   Tipos   Color

De: teo@gmail.com   Para: luis@hotmail.com

Hola, Luis:

¿Qué tal va todo? Me imagino que seguirás de exámenes. ¡Con lo estudioso que eres, seguro que sacas unas notas increíbles!

Te escribo para decirte que el mes que viene tendré unos días de vacaciones y quiero ir a Lanzarote. Supongo que estarás allí y que podremos hacer muchas cosas juntos. Por cierto, pienso llevarme mi tabla de surf. Me han dicho que allí hay unas olas fantásticas, ¿me puedes dar alguna información sobre las playas? También quiero ir un día a la isla La Graciosa. He leído en Internet que es muy bonita y que se puede bucear en ella. ¿Vendrás conmigo? Me imagino que tú sabrás dónde alquilar los equipos. Por cierto, ¿conoces algún camping recomendable?

Como ves, no pienso parar ni un solo día. Y por la noche, supongo que me enseñarás los lugares de marcha…

¡Espero tu correo! Un abrazo,

Teo.

1. Teo escribe un correo sobre…

   a. sus últimas vacaciones.
   b. sus exámenes.
   c. sus próximas vacaciones.

2. Teo pide información sobre…

   a. playas y alojamiento.
   b. playas y gastronomía.
   c. playas, gastronomía y alojamiento.

3. Teo tiene información sobre la isla…

   a. por sus amigos.
   b. porque se la ha dado Luis.
   c. porque se lo han contado y por Internet.

4. En el correo, Teo…

   a. solo pide información a su amigo.
   b. pide información a su amigo y le propone hacer actividades juntos.
   c. solo le propone a su amigo hacer actividades juntos.

5. Teo quiere practicar…

   a.   b.   c.

Prueba de expresión e interacción escritas

2. Quieres pasar unos días en un *camping*. Escribe un correo al *camping* para pedir información. En él debes preguntar:

- Si hay plazas libres los días que quieres ir de vacaciones.
- Si el acceso a la piscina y a las instalaciones deportivas está incluido en el precio.
- Si aceptan mascotas.

Parques Nacionales de España

1. Lee estos textos.

El Parque Nacional de Timanfaya se encuentra en la parte centro occidental de la isla de Lanzarote. Los paisajes negros y rojos y la casi ausencia de vegetación se deben a las erupciones volcánicas que tuvieron lugar entre 1730 y 1736. La lava destruyó toda la flora y la fauna del lugar y los habitantes tuvieron que emigrar porque se convirtió en un lugar inhabitable. Hoy en día el parque es un gran centro de estudio geológico y de actividades sísmicas. Una curiosidad es que tiene un restaurante donde se cocina con el calor de la propia tierra.

(Adaptado de *www.lanzarote.com/es/timanfaya*)

Timanfaya

lava

El Parque Nacional de Doñana está situado en Huelva y Sevilla, en el suroeste de España. Cuenta con diferentes ecosistemas, por eso tiene una biodiversidad única en Europa. Podemos observar miles de especies de animales y plantas, algunas desgraciadamente en peligro de extinción, como el águila imperial ibérica y el lince ibérico. En Doñana destacan las marismas, el lugar de paso y de cría de las aves africanas y europeas, y también las dunas móviles, que forman una frontera natural con la playa.

(Adaptado de *www.redparquesnacionales.mma.es/parques/donana*)

marismas

lince ibérico

El Parque Nacional de los Picos de Europa pertenece a Cantabria, Asturias y Castilla y León. En 2002 fue declarado reserva de la Biosfera. Tiene más de 200 picos de más de 2000 metros de altitud. De hecho, el nombre *Picos de Europa* se lo pusieron los marineros porque cuando llegaban del Atlántico con los barcos era lo primero que veían. En el parque hay más de 2000 especies de animales y plantas. De algunas quedan pocos ejemplares, pero se están intentando recuperar, como es el caso de los osos o los buitres. También podemos visitar los lagos de Covadonga, unos de los pocos que hay en España.

(Adaptado de *www.verdenorte.com*)

Picos de Europa

buitre

El **Parque Nacional de las Islas Atlánticas** de Galicia lo forman cuatro archipiélagos: el de Cíes, Ons, Sálvora y Cortegada. La isla más famosa es la de Monteagudo, que pertenece a las Cíes, porque su playa, llamada *playa de Rodas*, ha sido considerada la más bonita del mundo. Es una isla completamente virgen, donde solo hay un restaurante, un *camping* y un faro convertido en observatorio de aves. Para llegar de forma particular hay que pedir permiso o ir en los barcos que salen, solo desde Semana Santa hasta septiembre, desde algunos puertos de Galicia.

(Adaptado de *www.parquenaturalislasatlanticas.com*)

Islas Cíes

faro.

2. **¿En qué parque...**

a. puedo ver un volcán?

b. solo puedo llegar en barco durante unos meses al año?

c. puedo ver osos?

d. puedo bañarme en la playa más bonita del mundo?

e. hay una gran biodiversidad?

f. puedo ver dunas?

g. voy a ver lagos?

h. puedo cocinar sin necesidad de hacer fuego?

3. **Escribe en el mapa dónde está cada parque.**

Practica lo que has aprendido con el material interactivo extra.

¡Me lo sé!

Hacer conjeturas y promesas ..../6

1. **Di si las siguientes frases son conjeturas (C) o promesas (P).**

	C	P
a. Me imagino que mañana tendré que ir a hacer la compra.	☐	☐
b. Te prometo que no lo volveré a hacer.	☐	☐
c. Me imagino que no irá a la fiesta.	☐	☐
d. Mañana te traeré el libro sin falta.	☐	☐
e. Te juro que no lo contaré.	☐	☐
f. Supongo que esta tarde cenaremos en casa de Juan.	☐	☐

El futuro imperfecto ..../20

2. **Escribe estos verbos en futuro.**

a. Tener, 1.ª pers. sing. ....

b. Caber, 3.ª pers. sing. ....

c. Poder, 2.ª pers. plural ....

d. Saber, 3.ª pers. plural ....

e. Venir, 1.ª pers. plural ....

f. Ir, 2.ª pers. plural ....

g. Salir, 2.ª pers. plural ....

h. Valer, 3.ª pers. sing. ....

i. Ser, 1.ª pers. sing. ....

j. Haber, 3.ª pers. sing. ....

k. Poner, 2.ª pers. sing. ....

l. Hacer, 2.ª pers. plural ....

m. Decir, 1.ª pers. sing. ....

n. Querer, 2.ª pers. sing. ....

3. **Ordena estas expresiones de más a menos cercanas en el futuro y escribe una frase con cada una.**

...... **a.** Pasado mañana ....

...... **b.** El año que viene ....

...... **c.** El próximo verano ....

...... **d.** Dentro de poco ....

...... **e.** Dentro de 10 años ....

...... **f.** Mañana ....

Si + presente + futuro ..../8

4. **Completa las frases con el verbo ente paréntesis en el tiempo correspondiente.**

a. Si todo (ir) .... bien, dentro de dos años (ir, yo) .... a la universidad.

b. (Llegar, nosotros) .... tarde si (perder, nosotros) .... el autobús.

c. Si no me (llamar) .... Juan, lo (llamar, yo) ....

d. (Ir, yo) .... a la fiesta si tú (ir) ....

El medioambiente y la política ..../13

5. **Completa el texto con las siguientes palabras.**

> sequía ○ deforestación ○ consumo responsable ○ energías renovables
> calentamiento global ○ contaminación ○ deshielo

a. Si no llueve, habrá ....

b. El .... del planeta está provocando el .... de los polos.

c. Los países deberían apostar por las .... y el .... para reducir la ....

d. Si no detenemos la ...., nos quedaremos sin selva.

6. **Completa las frases con las palabras entre paréntesis.**

a. Antes de las .... los .... políticos presentan su .... para dar a conocer sus proyectos. *(partidos, programa, elecciones)*

b. Hasta que no se cuentan todos los .... no se puede saber qué .... ha conseguido la .... *(candidato, victoria, votos)*

Acentuación ..../6

7. **Encuentra el intruso y explica en qué se diferencia.**

a. Café/amor/mesa/ratón/color.

b. Médico/fábula/manzana/sábado/fábrica.

c. Jesús/comí/camión/reloj/salón.

d. Árbol/cárcel/mesa/cosa/azul.

e. Quien/que/como/cuesta/donde.

f. Dímelo/cuéntaselo/mecánica/recíbelo.

Parques Nacionales de España ..../4

8. **Escribe la palabra correspondiente a cada definición.**

a. Es un conjunto de islas: ....

b. Es una montaña de donde sale lava: ....

c. Es una construcción para indicar a los barcos dónde hay tierra: ....

d. Materia que sale del volcán: ....

 EXTENSIÓN DIGITAL Practica lo que has aprendido con el material interactivo extra.

Érase una vez...

1. Relaciona las siguientes expresiones con su definición correspondiente.

1. Efecto invernadero.

2. Combustibles fósiles.

3. Vertedero.

4. Sensores.

a. Lugar para depositar los residuos y la basura de una zona o ciudad.

b. Dispositivos que detectan una acción externa como la temperatura o la presión y que transmiten la información.

c. Calentamiento del planeta provocado por diversos gases.

d. Lo son el carbón, el petróleo y el gas natural.

2. Lee el siguiente relato.

Viaje al futuro

Alberto llegó del instituto, comió, encendió la tele, cogió el mando a distancia y se tumbó en el sofá. ¡ZAP!

—Si quiere disfrutar de unas vacaciones de ensueño, Canarias es su destino. ¡ZAP!

—Siempre te querré a ti, mi amor. ¡ZAP!

—Quiero hacerle una pregunta; usted, al recibir el Premio Nobel de Energía afirmó que el futuro que nos espera es mucho más negro de lo que pensamos —interesante, pensó Alberto.

—Sí, efectivamente. Las grandes ciudades del futuro provocarán el efecto invernadero y una megapolución si no hacemos algo. Habrá tanta superpoblación que tendremos que cultivar en grandes huertos urbanos para alimentarnos. Para no terminar con los combustibles fósiles, tendremos que reducir el número de coches y los kilómetros recorridos por los aviones. Habrá islas-vertedero para eliminar los residuos. Se tendrá que ahorrar energía utilizando los elementos de la naturaleza como el sol, el viento o la lluvia. ¡ZAP!

—Buenos días, les presento a William Mitchell, del Instituto Tecnológico de Massachusetts. ¿Cómo piensa usted que serán las ciudades del futuro?

—Bueno, yo pienso que estarán diseñadas como organismos vivos, con inteligencia propia. Las calles y edificios tendrán luces inteligentes que cambiarán de color e intensidad dependiendo de la hora del día. Tanto dentro como fuera de casa, habrá sensores que nos informarán de todo lo que sucede; como, por ejemplo, tener información de los edificios o monumentos de una ciudad solo con enfocarlos con un móvil. ¡ZAP!

—Necesito montar en una nave para teletransportarme en una milésima de segundo a mi planeta, si no, se cerrarán los accesos y no podré entrar. ¡¡Necesito ayuda!! —gritó Alberto.

—Despierta, hijo. Has tenido una pesadilla. Alberto miró a su madre, a su alrededor, y se sintió feliz de encontrarse en el siglo XXI.

3. **Contesta estas preguntas.**

a. ¿Qué cuenta el relato?
- **1.** Un día en la vida de Alberto.
- **2.** Un sueño.
- **3.** Un viaje al futuro.

b. ¿Cuántos canales diferentes de televisión ve Alberto?

....

c. ¿Cuál de las visiones sobre el futuro te parece más optimista: la del primer científico o la del segundo?

....

d. ¿Cuál te parece más realista?

....

e. ¿Con cuál de los dos estás más de acuerdo?

....

f. ¿Por qué crees que Alberto se alegra cuando su madre lo despierta?

....

4. **Ahora imagina cómo será la vida dentro de 100 años.**

Alimentación: ....

Vivienda: ....

Educación: ....

Transporte: ....

Trabajo: ....

Energías: ....

Familias: ....

Salud / Enfermedades: ....

5. **Compara tus hipótesis con las de tu compañero. ¿Coincidís en muchas cosas?**

6. **Lee el siguiente eslogan: "Piensa globalmente. Actúa localmente". ¿Qué crees que significa? Piensa en cosas que puedes hacer tú para evitar un futuro negro.**

"PIENSA GLOBALMENTE. ACTÚA LOCALMENTE"

Prometo...
• que intentaré no malgastar el papel que utilizo en clase y lo reciclaré.
•
•

6

Cosas de casa

Contenidos funcionales

- Pedir permiso, concederlo y denegarlo
- Dar consejos, órdenes e instrucciones
- Invitar u ofrecer

Contenidos gramaticales

- Imperativo afirmativo y negativo
- El imperativo y los pronombres

Contenidos léxicos

- Las tareas domésticas
- Normas de convivencia
- Deporte: sus reglas
- Expresiones sociales

Fonética y ortografía

- La entonación

Contenidos culturales

- ¿Los españoles son maleducados?

Relato

- *Mi abuela Eva*

La familia Pérez-Garrido

¿Qué ves?

1. **Completa el cuadro con la información de la imagen y la del texto.**

> Pilar Garrido, que es pintora, tuvo a Nerea con 30 años. Tiene tres años menos que su marido Antonio Pérez. A él le gusta la música clásica, pero a su hijo Darío le gusta el *heavy*.
> Darío tiene cuatro años menos que Nerea y cuatro más que su otra hermana. Macarena tiene 11 años y Juan, el abuelo, que está jubilado y le gusta cantar, tiene 77 años.

Nombre					Darío	
Profesión		médico				
Edad						
Gustos			ir al cine			

2. **Completa las frases y descubre cómo es la convivencia en esta familia.**

a. Antonio discute con su mujer porque le coge sus camisas viejas para ....

b. Pilar se enfada con su padre porque se pone a .... mientras ella trabaja.

c. Nerea se enfada con su hermana porque le coge sus zapatos de tacón para ....

d. Darío discute con su padre porque tienen .... musicales muy diferentes.

Trabajamos con el diálogo

3. **Escucha el diálogo y elige la opción correcta.**

Ernesto: ¡Últimamente mis padres se quejan por todo!

Darío: ¿Por qué dices eso? Tus padres son muy majos.

E.: Pues ahora se han vuelto superestrictos con todo. Me han dicho que entre semana no puedo llegar a casa más tarde de las ocho. Bueno, menos los días que tengo tenis, que tengo que estar en casa a las diez de la noche. Me han dicho que si llego un minuto más tarde, me castigarán sin salir.

D.: ¡Pero si salimos de entrenar a las nueve y media! ¡Tendrás que irte corriendo a casa! ¡Y sin ducharte!

E.: Además, ahora dicen que no hacemos nada en casa y que tenemos que colaborar más.

D.: ¡Uf! ¡Qué rollo! Mi madre el año pasado hizo una lista con las tareas que tenía que hacer cada uno, ¡y fue un desastre!

E.: ¿Y eso?

D.: Mi abuelo era el encargado de hacer la compra, pero lo que hacía era pagar 15€ a mi hermana si iba ella. Ella me pagaba 10€ a mí y mientras ella "estaba haciendo la compra" se iba de paseo. Y como yo odio ir al supermercado, pues le pagaba 5€ a mi hermana pequeña, ¡y ella encantada!

E.: ¿Y tus padres no se enteraban?

D.: Al principio no, pero un día vieron a Maca salir del súper y lo descubrieron.

E.: ¿Y cómo reaccionaron?

D.: Pues decidieron que con los 15€ del abuelo, los 10 de Nerea y mis 5, podían pagar a alguien para limpiar la casa una hora a la semana. ¡Pero nosotros tenemos que seguir haciendo nuestra parte!, ¡y además nos cuesta dinero!

E.: ¡Ja, ja! ¡Tus padres sí que saben!

	V	F
a. Ernesto no puede llegar a casa ningún día más tarde de las ocho.	☐	☐
b. Según la opinión de Darío, los padres de Ernesto son muy simpáticos.	☐	☐
c. Nerea conseguía cinco euros por no hacer la compra.	☐	☐
d. La persona que limpia en la casa de Darío va una hora a la semana.	☐	☐
e. Los padres de Darío descubrieron la verdad porque el abuelo lo contó todo.	☐	☐

4. **Ordena los dibujos según el diálogo y comenta con tu compañero lo que pasa en cada viñeta.**

 Practica lo que has aprendido con el material interactivo extra.

Hablar por hablar

> **PEDIR PERMISO, CONCEDERLO Y DENEGARLO**

■ Para **pedir un permiso**:

*¿**Puedo/Podría** coger un poco de pastel?*
*¿**Te/Le importa si** cojo un poco de pastel?*

■ Para **conceder un permiso**:

***Sí, claro**, coge, coge.*
***Por supuesto**.*
***Sí, pero** déjale un poco a tu hermano.*

■ Para **denegar un permiso**:

***No, (lo siento) es que** lo he hecho para llevarlo a la fiesta de Ana.*

*¡**Ni hablar**!*
*¡**De ninguna manera**!*

> **INVITAR U OFRECER**

■ Para **invitar** u **ofrecer**:

*¿**Quieres** un poco de pastel?*
***Coge, coge**.*
***Toma**.*

■ Para **responder**:

***Sí, gracias**.*
***No, gracias, es que** no me gustan los dulces.*

1. Completa los diálogos con las expresiones del recuadro.

> quieres ○ no ○ puedo ○ coge un poco ○ es que ○ sí, claro

a.
Marta: Ya sé que estás leyendo, pero… ¿_____1_____ poner la tele?
Emilio: _____2_____, ponla. A mí no me molesta el ruido mientras leo.
Marta: Vale, gracias, es que ahora hay un programa que me encanta.

b.
Anabel: ¿_____3_____ probar la pizza que he hecho?
Marcos: ___4___, gracias, _____5_____ acabo de comer.
Anabel: Anda, _____6_____, solo para probarla. Ya verás qué rica me sale.
Marcos: Bueno, la probaré, pero ponme solo un poquito.

2. 🔊34 Escucha los siguientes diálogos y marca la opción correcta.

	Diálogo 1	Diálogo 2	Diálogo 3	Diálogo 4
a. Conceder permiso.	☐	☐	☐	☐
b. Denegar permiso.	☐	☐	☐	☐
c. Aceptar una invitación.	☐	☐	☐	☐
d. Denegar una invitación.	☐	☐	☐	☐

3. Habla con tu compañero siguiendo las instrucciones.

Alumno A

Situación 1. Empiezas tú.
Tienes que pedir permiso a tu compañero para hacer algo.
Situación 2. Empieza tu compañero.
Tienes que aceptar o rechazar la invitación de tu compañero.

Alumno B

Situación 1. Empieza tu compañero.
Tienes que conceder o denegar permiso según lo que te pida tu compañero.
Situación 2. Empiezas tú.
Tienes que invitar a algo u ofrecer algo a tu compañero.

> ## PEDIR Y DAR **INSTRUCCIONES**

■ Para **pedir instrucciones**:

> *¿Puedes/Podrías decirme cómo hago el pastel?*
> *¿Sabes cómo ir al centro?*
> *Perdone/Perdona, ¿para ir a la estación?*

■ Para **dar instrucciones**:

> *Sí, mira, haz/coge/ve...*
> *Sí,* primero **gira** a la derecha, **sigue** todo recto, después **cruza** la calle...
> *Sí, tiene/tienes que* coger/hacer/ir...

> ## PEDIR Y DAR **CONSEJOS** O **RECOMENDACIONES**

*Últimamente no me concentro a la hora de estudiar, **¿qué puedo hacer?***
> ***Tendrías que/Deberías** ir a la biblioteca/hacer deporte/probar la jalea real.*
> ***¿Por qué no** vas a la biblioteca/haces deporte/pruebas la jalea real?*
> ***Ve** a la biblioteca./**Haz** deporte./**Prueba** la jalea real.*

> ## DAR **ÓRDENES**

> ***Coge/Haz/Ven...*** *Pedro, **haz** los deberes antes de ver la tele.*

4. Lee las viñetas y relaciónalas con su pareja correspondiente.

Perdona, ¿podrías decirme cómo llegar al Palacio de los Deportes?

a

No sé si voy a aprobar el examen de Historia. Entran siete temas y solo me sé uno. ¿Qué puedo hacer?

b

Óscar, haz los deberes, deja de navegar por Internet y baja el volumen de la radio.

c

1 Sí, claro. Sigue todo recto y después gira la primera calle a la izquierda...

2 Que sí, mamá, ¡qué pesada...!

3 ¿Y por qué no empiezas a estudiar ya? Estudia un tema cada día. Aún falta una semana...

5. Marca en la tabla qué hacen en las frases del ejercicio 4.

	a	b	c	1	2	3
a. Pedir y dar consejos.	☐	☐	☐	☐	☐	☐
b. Pedir instrucciones.	☐	☐	☐	☐	☐	☐
c. Dar instrucciones.	☐	☐	☐	☐	☐	☐
d. Dar y aceptar órdenes.	☐	☐	☐	☐	☐	☐

6. Habla con tu compañero. Elige una de estas situaciones y cuéntasela. Él debe reaccionar.

1. Últimamente duermes poco, solo dos o tres horas. Pide consejo a tu compañero.
2. No sabes cómo mandar un *sms* desde tu móvil nuevo. Pregunta a tu compañero.
3. Necesitas ir a la secretaría de tu instituto y no sabes dónde está. Tu compañero sí lo sabe.
4. Quieres irte de viaje el fin de semana, pero el lunes tienes un examen y no sabes qué hacer. Pide consejo a tu compañero.

EXTENSIÓN DIGITAL

Practica lo que has aprendido con el material interactivo extra.

Paso a paso

> IMPERATIVO AFIRMATIVO

- El imperativo afirmativo se usa para dar órdenes, invitar u ofrecer, dar consejos o recomendaciones y dar permiso.

	Verbos regulares			Algunos verbos irregulares			
	Comprar	Comer	Subir	Decir	Hacer	Poner	Tener
Tú	compra	come	sube	di	haz	pon	ten
Vosotros/as	comprad	comed	subid	decid	haced	poned	tened
Usted	compre	coma	suba	diga	haga	ponga	tenga
Ustedes	compren	coman	suban	digan	hagan	pongan	tengan

> Para los verbos regulares, ver *Apéndice gramatical*, pág. 121

- **Imperativo afirmativo + pronombres:**

Los pronombres objeto directo, indirecto y reflexivo se colocan detrás del imperativo, formando una sola palabra.

Pon el queso en la nevera. ➡ **Ponlo.**   *Dime el secreto.* ➡ **Dímelo.**

---

1. **Completa las frases conjugando en imperativo afirmativo los verbos entre paréntesis.**

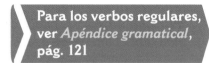

a. Por favor, ...(entrar, usted).

b. Chicos, ... (guardar, vosotros) los libros.

c. ....(Mirar, ustedes) por la ventana.

d. ....(Escribir, vosotros) en el cuaderno.

e. Pedro, ...(leer, tú) este libro.

f. ....(Escuchar, usted) atentamente.

2. **Los señores Pérez-Garrido se van de viaje. Lee la nota que ha dejado la madre al abuelo y a los hijos y escribe en imperativo afirmativo los verbos entre paréntesis.**

Nerea, ...1........ (poner) el despertador para no quedarte dormida por la mañana y ....2........ (tener) cuidado de no dejarte el fuego de la cocina encendido. Darío, puedes jugar un poco a la videoconsola si quieres, pero antes ....3........ (hacer) los deberes. Y Macarena, tú ....4........ (sacar) al perro a pasear después del colegio.
Papá, ...5........ (tener) cuidado si sales a la calle y ....6........ (coger) las llaves, que siempre te las olvidas. Y por favor, ...7........ (dejar) la casa ordenada.

3. **Transforma las siguientes frases en órdenes y sustituye las palabras por pronombres cuando sea posible.**

a. Colocar la película en la estantería. (vosotros) ➡ *Colocadla en la estantería.* ....

b. Comprar la comida al perro. (tú)   ➡ ....

c. Dejar las cosas en su sitio. (ustedes)   ➡ ....

d. Meter los canelones en la nevera. (usted)   ➡ ....

e. Poner el despertador a tu hermano. (tú)   ➡ ....

IMPERATIVO NEGATIVO

■ El imperativo negativo se usa para dar órdenes, consejos, recomendaciones y prohibiciones.

	Verbos regulares			Algunos verbos irregulares	
	Comprar	**Comer**	**Subir**	**Decir**	**Hacer**
Tú	No compr**es**	No com**as**	No sub**as**	No **digas**	No **hagas**
Vosotros/as	No compr**éis**	No com**áis**	No sub**áis**	No **digáis**	No **hagáis**
Usted	No compr**e**	No com**a**	No sub**a**	No **diga**	No **haga**
Ustedes	No compr**en**	No com**an**	No sub**an**	No **digan**	No **hagan**

■ Forma:

- **usted/ustedes:** se forma igual que el imperativo afirmativo.

  (usted) compre ➡ *no compre*

  (ustedes) compren ➡ *no compren*
- **tú:** se añade *-s* al imperativo negativo de **usted**.

  (usted) no compre ➡ *(tú) no compres*
- **vosotros:** se añade *-is* al imperativo negativo de **usted**.

  (usted) no compre ➡ *(vosotros) no compréis*

Poner	**Tener**
No **pongas**	No **tengas**
No **pongáis**	No **tengáis**
No **ponga**	No **tenga**
No **pongan**	No **tengan**

> Ver *Apéndice gramatical*, pág. 122

■ **Imperativo negativo + pronombres:**

El pronombre objeto directo, indirecto y reflexivo se colocan delante del imperativo, separados.

*No **lo** pongas, no **me lo** digas, no **las** cojas, no **te lo** pienses, no **te** olvides…*

4. **El señor Pérez también ha escrito otra nota. Completa los espacios con los verbos del recuadro usando el imperativo negativo.**

> pelearse ○ comer ○ ponerse ○ poner ○ olvidar ○ quedarse ○ llegar

Darío, no __1__ solo pizzas, tienes que comer lo que cocine tu hermana.
Macarena, tú eres la encargada de Hueso. No __2__ ponerle la comida y el agua todos los días, y ¡no __3__ los zapatos de tu hermana!
Nerea, no __4__ tarde, ni __5__ dormida viendo la tele en el sofá.
Abuelo, no __6__ la radio muy alta, que después se quejan los vecinos.
Y a todos, por favor, no __7__.

5. **Transforma en imperativo negativo estas frases usando los pronombres cuando sea posible.**

a. Colocar la película en la estantería. (vosotros) ➡ *No la coloquéis en la estantería.*

b. Comprar la comida al perro. (tú) ➡ ....

c. Dejar las cosas en su sitio. (ustedes) ➡ ....

d. Meter los canelones en la nevera. (usted) ➡ ....

e. Poner el despertador a tu hermano. (tú) ➡ ....

Practica lo que has aprendido con el material interactivo extra.

Palabra por palabra

1. 🎧35 **Escucha los diálogos y ordena las imágenes.**

Hacer la cama

Tender la ropa

Hacer la comida

Fregar los platos

Tirar la basura

Poner la mesa

Poner la lavadora

Planchar

Barrer

2. **Completa las frases con los verbos correctos.**

a. Lo contrario de *poner la mesa* es .... la mesa.

b. A veces cuando haces la cama también .... las sábanas.

c. Si limpio el suelo sin agua, lo ...., y si lo limpio con agua, lo ....

d. Después de poner la lavadora, ... la ropa.

e. Lo hago con el polvo, los cristales y el baño y es lo contrario de *ensuciar*: ....

f. Antes de comer tengo que .... la comida.

g. Antes de ponerte la ropa, la ....

fregar
tender
quitar
limpiar
hacer
planchar
barrer
cambiar

3. **Pilar Garrido ha decidido repartir las tareas de casa. Observa los dibujos y escribe qué le dice a cada uno usando el imperativo afirmativo y negativo.**

a. *Papá, plancha la ropa, pero no...* ....

b. *Antonio...* ....

c. *Nerea...* ....

d. *Darío...* ....

4. **Habla con tu compañero. ¿Qué tareas domésticas hacéis en casa? ¿Cuál os gusta menos? ¿Por qué?**

5. Clasifica las siguientes palabras en la casilla correspondiente. ¡Atención!, algunas pueden ir en más de una casilla. Si lo necesitas, usa el diccionario.

> *fútbol* ○ *golpear* ○ *tenis* ○ *balón* ○ *waterpolo* ○ *pelota* ○ *falta* ○ *portería* ○ *pared*
> *red* ○ *squash* ○ *raqueta* ○ *portero* ○ *chutar* ○ *marcar un gol* ○ *set* ○ *lanzar* ○ *cancha*
> *campo* ○ *flotar* ○ *botar* ○ *balonmano* ○ *jugador* ○ *pase* ○ *ventaja* ○ *rebotar*

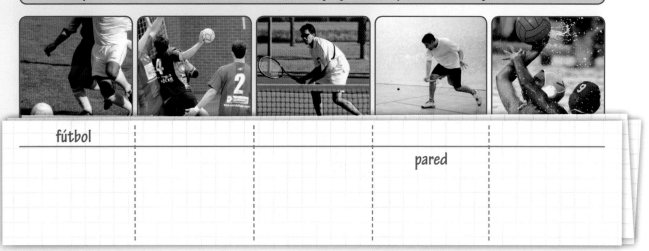

fútbol				pared	

6. Juega con tu compañero. Tenéis que adivinar a qué deporte se refiere cada texto. Gana quien necesite leer menos reglas para adivinarlo.

1
- Consigue una raqueta de cuerdas y una pelota pequeña.
- Busca un adversario para jugar.
- Si el jugador contrario te ha lanzado la pelota, no permitas que esta bote dos veces o más en el suelo o él conseguirá el punto.
- Para ganar puntos, intenta que el adversario no pueda responder a tus golpes.
- Para poder jugar, encuentra un espacio cerrado rodeado de paredes.
- Golpea la pelota con la raqueta y haz que rebote en la pared frontal de la cancha.

Deporte: ....

2
- Forma dos equipos. En cada uno tiene que haber un portero.
- Durante el partido, intenta marcar el mayor número de goles al equipo contrario.
- Para marcar un gol, lanza la pelota hacia la portería contraria. Si la metes dentro, habrás marcado.
- Intenta robar el balón al jugador del equipo contrario, pero no lo agarres porque cometerás falta. No cometas faltas porque podrás ser expulsado.
- Para marcar gol, utiliza cualquier parte del cuerpo, pero si usas la mano, esta tiene que estar abierta.
- No pises el suelo de la piscina, está prohibido. Tienes que mantenerte flotando durante todo el partido.

Deporte: ....

7. Seguro que conoces bien otros deportes. Sigue el juego anterior. Escribe frases con imperativo sobre sus reglas y léeselas a tu compañero.

  Practica lo que has aprendido con el material interactivo extra.

La entonación

■ **La entonación es un elemento importante en la producción oral.** En español, existen principalmente cinco tipos de entonación:

- Entonación enunciativa.   *Estudio español.*   *Está duchándose.*
- Entonación imperativa.   *Haz los deberes.*   *Pon la mesa.*
- Entonación exclamativa.   *¡Qué interesante!*   *¡Ya he terminado!*
- Entonación interrogativa.   Abierta: *¿Dónde vives?*   Cerrada: *¿Tienes un diccionario?*
- Entonación suspendida.   *Pues si no lo sabe él…*   *¡Es tan cursi…!*

1. 🎧36 **Escucha los ejemplos anteriores y repite.**

2. 🎧37 **Escucha y señala el enunciado correcto.**

a.
- [ ] Ya ha venido.
- [ ] ¡Ya ha venido!
- [ ] ¿Ya ha venido?
- [ ] Ya ha venido…

b.
- [ ] No lo quiere.
- [ ] ¡No lo quiere!
- [ ] ¿No lo quiere?
- [ ] No lo quiere…

c.
- [ ] Habla español.
- [ ] ¡Habla español!
- [ ] ¿Habla español?
- [ ] Habla español…

d.
- [ ] Es que no puede.
- [ ] ¡Es que no puede!
- [ ] ¿Es que no puede?
- [ ] Es que no puede…

3. 🎧38 **Escucha el siguiente diálogo y escribe los signos de puntuación según la entonación que emplean.**

- **a.** ▶ Cuándo vendrá Marcos
- **b.** ▶ Supongo que el domingo
- **c.** ▶ Pues si viene el domingo
- **d.** ▶ Acaso te viene mal
- **e.** ▶ Cómo dices eso
- **f.** ▶ La verdad es que no te entiendo
- **g.** ▶ Cuando no lo dices
- **h.** ▶ Quieres hablar claro
- **i.** ▶ Déjame que te explique
- **j.** ▶ Pues habla ya

4. 🎧39 **Dictado.**

Prueba de comprensión de lectura

1. Lee el texto y elige la opción correcta.

Si te gusta la interpretación o simplemente quieres conocer gente nueva y pasarlo bien, apúntate ya a nuestro taller de teatro. Puedes hacerlo de 8:00 a 20:30 en el teléfono 91 678 56 67; en la recepción de la Casa de la Cultura, C/ Albéniz, 8, Madrid; o a cualquier hora a través de nuestra web: **www.casaculturaalcobendas.es**.

El plazo de inscripción finaliza el 30 de septiembre.

- Inicio de curso: viernes 5 de octubre.
- Horario: todos los viernes de 18:00 a 20:00.
- Lugar: Casa de la Cultura.
- Edad: sin límite de edad.
- Precio: 25 euros al mes. (20 euros para menores de 21 años y mayores de 55).
- Final de curso: 24 de junio. Ese día haréis una representación para mostrar a vuestros amigos y familiares todo lo que habéis aprendido.

1. El taller de teatro va dirigido a...

   a. personas que quieren ser actores profesionales.
   b. personas que tienen experiencia en el teatro.
   c. personas a las que les gusta el teatro.

2. El curso...

   a. es de una hora a la semana.
   b. dura un año.
   c. es un día a la semana.

3. El curso es para...

   a. mayores de 55 años.
   b. todas las edades.
   c. personas de entre 21 y 55 años.

4. La inscripción...

   a. puede hacerse a cualquier hora.
   b. puede hacerse solo los viernes de 18:00 a 20:00.
   c. empieza el 30 de septiembre.

5. El precio del curso...

   a. es de 25 euros.
   b. es gratis.
   c. depende de la edad.

6. El último día de curso...

   a. hay una clase gratis para los amigos y familiares de los alumnos.
   b. los alumnos van a ver una obra de teatro.
   c. los alumnos hacen una obra de teatro.

Prueba de expresión e interacción orales

2. Mira la fotografía y habla durante 3 o 5 minutos según las instrucciones.

a. Describe el lugar, las personas, los objetos y las acciones.

b. Habla sobre las características físicas de las personas y sobre su ropa o las cosas que llevan.

¿Los españoles son maleducados?

1. Habla con tu compañero. Según tú, ¿cómo reaccionan los españoles en estas situaciones? ¿Y tú? Hay más de una opción posible.

> Yo creo que los españoles... En cambio yo...

1. En las casas...

    a. siempre piden todo "por favor" y luego dan las "gracias".

    b. solo dicen "por favor" y "gracias" cuando piden algo que supone un esfuerzo extra para la otra persona.

2. Cuando ofrecen algo es normal...

    a. ofrecerlo varias veces, sobre todo si es su amigo.

    b. ofrecerlo varias veces, sobre todo si es una persona que no conocen mucho.

3. El tono en el que se dicen las cosas...

    a. no es tan importante como pedir las cosas "por favor".

    b. es tan importante como pedir las cosas "por favor".

4. En una tienda es más frecuente oír:

    a. "Hola, un kilo de tomates y luego me pones también uno de fresas".

    b. "Buenas tardes, ¿podría ponerme un kilo de tomates, por favor?".

5. Cuando alguien dice *gracias*, la otra persona...

    a. dice: "No hay de qué".

    b. dice: "De nada".

    c. sonríe.

6. Cuando alguien les hace un cumplido, por ejemplo: "¡Qué zapatos más bonitos llevas!", las respuestas más comunes son:

    a. "¡Buah! Pues tienen un montón de años".

    b. "Sí, ¿verdad?".

    c. "Pues me han costado baratísimos".

    d. "Lo sé. A mí también me encantan".

7. Cuando les regalan algo...

    a. nunca abren el regalo delante de la persona.

    b. siempre dan las gracias y ponen cara de sorpresa e ilusión.

    c. no es necesario dar las gracias y si no les gusta, lo pueden decir.

2. Ahora lee el texto y comprueba tus hipótesis. ¿Es igual en tu país?

Muchas veces, los extranjeros piensan que los españoles son maleducados porque piden las cosas muy directamente y porque palabras como *perdón*, *gracias* y *por favor* se oyen con bastante menos frecuencia que en otros países. Sin embargo, hay que ser consciente de que la educación es algo muy relativo, y lo que para una cultura es ofensivo no tiene que serlo para otra.

Cuando algunos extranjeros usan en exceso *por favor*, *gracias* o *perdón*, puede resultar extraño para un español. El motivo es que, en España, estas palabras están reservadas para momentos en los que las personas sienten verdaderamente que están pidiendo un favor, están realmente agradecidas o sienten algo de verdad. Por ejemplo, cuando el dependiente te da los tomates en el supermercado, no es necesario dar las gracias y lo más normal es no hacerlo, pero si el dependiente ha elegido esos tomates especialmente para ti, entonces sí hay que darlas.

Otras situaciones en las que también puede haber malentendidos culturales es a la hora de recibir cumplidos, hacer invitaciones o recibir regalos. Cuando a un español le dicen algo positivo para alabar una cualidad o elogiar algo que tiene, él siempre lo niega o dice o hace un gesto para quitarle importancia. Esto lo hace para parecer modesto, cualidad que se valora mucho en España.

Respecto a las invitaciones, lo normal es no aceptar la invitación a la primera. Generalmente se dice que *no* la primera vez o, incluso, una segunda vez (sobre todo cuando no hay mucha confianza con esa persona, no tanto entre amigos). Al español le gusta insistir, así que lo normal es aceptar a la tercera, y si realmente no se quiere, hay que dar una buena excusa. En cuanto a los regalos, siempre hay que abrirlos en presencia de quien te lo ha regalado, y si es algo de comer, hay que abrirlo en el momento y compartirlo con los demás. Además, hay que mostrar ilusión y sorpresa, aunque el regalo te parezca horroroso, y nunca parecer decepcionado.

Entonces, ¿cómo distinguimos a un español educado de uno maleducado? Desde luego no va a ser por el número de veces que un español dice *gracias* o *por favor*. Para los españoles, la educación está en el tono en el que se dicen las cosas y en los gestos que se hacen. Por eso, por ejemplo, es muy importante usar el imperativo en un tono adecuado para que no parezca una orden, y hay que tener presente que el imperativo en español no solo se usa para dar órdenes.

3. **Contesta las siguientes preguntas.**

a. ¿Cómo sabes si un español es educado o no?

b. Cuando un español usa el imperativo, ¿es muy brusco?

c. ¿Qué haces si te regalan un regalo que no te gusta?

d. ¿Qué respondes si te dicen que tu jersey es muy bonito?

4. **Marca los temas que se tratan en el texto.**

Disculparse	Hacer cumplidos	Responder a un cumplido	Sorprenderse	Expresar decepción
1 ☐	**2** ☐	**3** ☐	**4** ☐	**5** ☐

5. **Aquí tienes frases que usan los españoles para cada uno de los temas anteriores. Clasifícalas según lo que expresan.**

a. Perdona. ...1...

b. ¡Ah!, pensaba que sería otra cosa. ....

c. ¿Tú crees? ¿No te parece que me hace un poco mayor? ....

d. Ese peinado te queda muy bien. ....

e. ¡Guau! ¡Es justo lo que necesitaba! No me lo esperaba para nada. ....

f. ¡Bah!, no es para tanto. Solo he seguido una receta que he encontrado por Internet. ....

g. ¡Mmm! Esto está buenísimo. Eres una cocinera de primera. ....

h. Lo siento mucho. ....

i. ¡Madre mía! ¡Menuda sorpresa! ....

6. **¿Qué es importante para ser una persona educada? Escribe cuatro preguntas como las del ejercicio 1 y házselas a tu compañero. Cada pregunta tiene que llevar una respuesta correcta y otra incorrecta.**

 EXTENSIÓN DIGITAL Practica lo que has aprendido con el material interactivo extra.

¡Me lo sé!

Pedir permiso, concederlo y denegarlo. Invitar u ofrecer   .... /6

1. **Relaciona.**

1. ¿Le importa si abro la ventana? Hace mucho calor.
2. ¿Te importa si uso tu móvil?
3. ¿Puedo pasar?
4. ¿Quieres un poco más de sopa?
5. Tome, siéntese aquí.
6. Mamá, si hago todos los deberes y limpio mi habitación, ¿podría ir esta noche al cine?

- a. Gracias, joven.
- b. ¡Claro! pasa, pasa.
- c. Llama, llama.
- d. No, gracias, ya estoy lleno.
- e. No, por favor, ábrala.
- f. ¡Ni hablar!

Instrucciones, consejos y órdenes   .... /8

2. **Relaciona cada frase con la persona que lo dice.**

a. Pues llámala.
b. Vale, pero si me voy es para siempre, así que no me llames más.
c. Perdone, ¿para ir al museo Picasso?
d. No llegues tarde, que van a venir tus abuelos a cenar.
e. Ayer me lo pasé genial con Aurora, ¿qué puedo hacer?
f. ¡Que síííííí…! ¡Ya me lo has dicho un montón de veces!
g. Coge tus cosas y vete. No quiero verte más.
h. Sigue todo recto, y al final de la calle gira a la izquierda.

Imperativo y posición de los pronombres   .... /12

3. **Completa con el verbo entre paréntesis conjugado en imperativo.**

Si vas a compartir tu piso con alguien ....1........ (poner, tú) unas normas para las tareas. ....2........ (Repartir, tú, las tareas) de forma justa y equitativa. ....3........ (Tener, tú) en cuenta los gustos y preferencias de la otra persona. No ....4........ (hacer, tú) solo las tareas que más te gustan a ti. ....5........ (Ser, vosotros) comprensivos el uno con el otro. Si queréis una casa limpia y ordenada ....6........ (pasar, vosotros) la aspiradora y ....7........ (limpiar, vosotros) el baño, como mínimo, una vez a la semana. ....8........ (Fregar, vosotros) los platos cada día y ....9........ (fregar, vosotros, los platos) bien, también por debajo. ....10........ (Sacar, vosotros) la basura todos los días. ....11........ (Sacar, vosotros, la basura), si no la casa olerá fatal. No ....12........ (obsesionarse, vosotros) con la limpieza. Si un día no hacéis la cama, no pasa nada.

110 · ciento diez

Las tareas domésticas y los deportes ..../7

4. Completa las frases con las palabras que has aprendido en esta lección.

a. No tengo ropa limpia, hay que ....

b. Mi madre es alérgica al polvo, así que tenemos que .... y pasar .... todos los días.

c. En mi casa se cambian las .... los domingos.

d. Bernardo es muy malo jugando al fútbol. El otro día, ... el balón y metió gol en su propia ....

e. Me han regalado una .... para jugar al tenis igual que la que usa Rafa Nadal.

La entonación ..../5

5. 🎧40 Escucha el diálogo y elige la respuesta de Paco.

Antonio: ¡Qué temprano vienes!
Paco: a. *¡Tú sí que has venido temprano!* / b. *¿Tú sí que has venido temprano?*
Antonio: Es que hoy no he perdido el bus. Por cierto, ¿qué hora es?
Paco: a. *¿Es que no tienes reloj?* / b. *Es que no tienes reloj…*
Antonio: Lo he olvidado en casa. ¿A qué hora viene el jefe?
Paco: a. *No lo sé.* / b. *¡No lo sé!*
Antonio: ¿Y si vamos a tomar un café?
Paco: a. *¡Otro café!* / b. *¿Otro café?*
Antonio: Es que no he desayunado.
Paco: a. *Bueno, ¿te acompaño?* / b. *Bueno, te acompaño.*

¿Los españoles son maleducados? ..../6

6. Elige verdadero (V) o falso (F).

a. Los parámetros para valorar la educación no son iguales en todas las culturas.

b. Los españoles nunca dan las gracias.

c. El imperativo solo se usa para dar órdenes.

d. El imperativo se puede usar para pedir cosas a otras personas dando la entonación adecuada.

e. Hacer un cumplido es elogiar.

f. Cuando nos hacen un regalo, y además es de comer, no solo debemos abrirlo delante de la persona que nos lo ha regalado, también debemos compartirlo.

EXTENSIÓN DIGITAL Practica lo que has aprendido con el material interactivo extra.

Érase una vez...

1. Lee la siguiente frase y contesta las preguntas con tu compañero.

En la vida hay que poner el corazón en lo que haces. Si no, no sirve para nada.

- **a.** ¿A qué crees que se refiere con "poner el corazón"?
- **b.** ¿Estás de acuerdo con la frase?
- **c.** Señala las cosas en las que pones el corazón: aficiones, deportes, estudios…

2. Lee el texto.

Mi abuela Eva

No sé si creer en las casualidades. Pero resulta que hoy, en el autobús, mientras iba al instituto, alguien se había dejado olvidado un libro. Ya su portada me atraía a leerlo y a devorarlo. Fíjate si estaba tan entusiasmada con la historia, que me pasé la parada del instituto. El libro se llama *Como agua para chocolate* y cuenta la vida de Tita y su historia de amor con Pedro. La madre de Tita tuvo a su hija en la cocina, sobre la mesa, entre los olores de lo que estaba cocinando. Por eso, ya desde el principio, Tita sentía un gran amor por la cocina. Cuando cocinaba, su estado de ánimo influía en los platos que preparaba. Así, si hacía un plato estando alegre, cuando la gente lo comía, también se ponía contenta.

Ahora estoy en mi habitación y sigo leyéndolo sin parar. Quizás también me gusta esta historia porque me recuerda a mi abuela. Ella pasaba mucho tiempo en la cocina y le encantaba cocinar. Además, al igual que Tita, creía que era muy importante cómo te sentías cuando cocinabas. Siempre que podíamos, mi hermano y yo, a la vuelta del colegio, pasábamos toda la tarde con ella. Cuando nos veía asomar la cabeza por la puerta siempre nos decía:

-Entrad, entrad. Mirad qué estoy preparando.

Nosotros entrábamos hipnotizados. Dejábamos las mochilas en el suelo y nos poníamos manos a la obra.

-Manuela, ayúdame a cortar esta cebolla, y Tomás, lava las patatas para cocerlas.

A mi hermano y a mí nos encantaba ser sus ayudantes en la cocina e imaginar que estábamos en uno de los mejores restaurantes de París.

-No, mira, si quieres que esté dulce, recítale un poema. Sí, así… Genial… En la vida hay que poner el corazón en lo que haces. Si no, no sirve para nada… Muy bien, ponle alegría que es para la familia…

Daba igual si no lo hacíamos perfecto, ella siempre nos sonreía. Claro, que eso no era

muy difícil, porque todo le parecía bien y casi siempre estaba de buen humor. Creo que solamente se enfadaba y se quejaba cuando cortaba la cebolla y le lloraban los ojos.

-Seguro que esto no es bueno. Si lloro ahora cocinando, ¿qué pasará cuando lo coman los invitados? Yo no quiero llorar cocinando. ¿Y si se me caen las lágrimas encima de la comida?

Un día, por su cumpleaños, se nos ocurrió regalarle unas gafas de buceo para cortar cebollas y así poder llorar sin miedo a cocinar algo triste. Todavía recuerdo su sonrisa cuando se las puso. Nos dijo que era el mejor regalo del mundo.

3. **Completa las frases con la información del texto.**

a. Empezó a leer ....

b. Si estás triste y cocinas, ...

c. Estando con ella pensábamos ....

d. Las gafas de buceo le sirven para ....

e. La abuela siempre nos decía ....

f. El libro me recuerda a ella porque ....
....

4. **El libro *Como agua para chocolate*, que está leyendo la protagonista del relato, forma parte de la corriente literaria del Realismo mágico en Hispanoamérica. Lee la definición de este movimiento literario y contesta.**

Este estilo se caracteriza por introducir elementos mágicos como algo normal de la vida cotidiana; forman parte de ella y son aceptados. La realidad y la fantasía se mezclan en la narración.

¿Qué idea del Realismo mágico hay en el relato sobre la abuela Eva?

5. **Escribe sobre una persona importante en tu vida. ¿Puedes utilizar en la narración el Realismo mágico?**

1. Léo, un chico francés, y Andrés, un chico español, van a hacer un intercambio durante unos meses. Lee la siguiente carta de Andrés a Léo dándole algunos consejos para vivir en su casa. Escribe los verbos entre paréntesis en futuro imperfecto.

¡Hola, Léo! Hoy he recibido tu carta y la verdad es que me alegra mucho saber que finalmente ....1........ (tú, venir) a Madrid en agosto. En esas fechas ....2........ (hacer) mucho calor, pero no te preocupes porque entre semana ....3........ (tú, poder) estar todo el día en la piscina de mi casa. No es muy grande pero ....4........ (tú, pasártelo) muy bien. Los fines de semana mi familia y tú seguramente ....5........ (ir) a la sierra, a casa de mi tía. Allí ya ....6........ (tú, ver) cómo no ....7........ (tú, pasar) tanto calor; incluso por la noche probablemente ....8........ (tú, necesitar) ponerte una chaqueta. Mi hermana seguro que ....9........ (querer) hacer alguna excursión y, si vais a La Pedriza, ...10........ (vosotros, bañarse) en el río. Yo creo que ....11........ (tú, llevarse) muy bien con mi hermana porque, aunque es un poco pesada, la verdad es que es muy divertida. Mi padre es muy hablador, así que te ....12........ (contar) muchas historias de cuando él era joven. Mi madre también habla mucho y además te ....13........ (preguntar) mil veces si quieres algo más de comer y le ....14........ (dar) igual si quieres más o no, porque ella siempre te ....15........ (poner) tanta comida ¡que te ....16........ (salir) por las orejas!

2. Escucha los pequeños diálogos que mantienen los miembros de la familia de Andrés y di qué función tienen.

	pedir permiso	conceder un permiso	denegar o rechazar un permiso	dar órdenes	dar consejos	dar instrucciones	invitar u ofrecer
1	○	○	○	○	○	○	○
2	○	○	○	○	○	○	○
3	○	○	○	○	○	○	○
4	○	○	○	○	○	○	○
5	○	○	○	○	○	○	○
6	○	○	○	○	○	○	○
7	○	○	○	○	○	○	○
8	○	○	○	○	○	○	○

3. Escucha las tareas que hay que hacer en casa de Andrés y clasifícalas en la columna correspondiente.

HACER	PONER	LIMPIAR	FREGAR	RECOGER

4. **¡Mira cómo ha dejado Andrés la habitación! Ayúdale a escribir un correo a Léo, para que ordene la habitación antes de que la vean sus padres. Completa las indicaciones con imperativo y con los pronombres necesarios.**

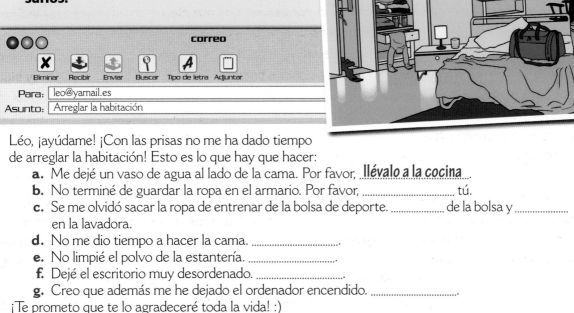

●●●	**correo**

✗ Eliminar **⬇** Recibir **⬆** Enviar **🔍** Buscar **𝒜** Tipo de letra **▯** Adjuntar

Para: leo@yamail.es
Asunto: Arreglar la habitación

Léo, ¡ayúdame! ¡Con las prisas no me ha dado tiempo de arreglar la habitación! Esto es lo que hay que hacer:

a. Me dejé un vaso de agua al lado de la cama. Por favor, <u>llévalo a la cocina</u>.

b. No terminé de guardar la ropa en el armario. Por favor, ... tú.

c. Se me olvidó sacar la ropa de entrenar de la bolsa de deporte. .... de la bolsa y .... en la lavadora.

d. No me dio tiempo a hacer la cama. ....

e. No limpié el polvo de la estantería. ....

f. Dejé el escritorio muy desordenado. ....

g. Creo que además me he dejado el ordenador encendido. ....

¡Te prometo que te lo agradeceré toda la vida! :)

5. **Mira las fotos y escribe qué va a hacer el fin de semana la familia de Andrés y cuándo.**

El fin de semana que viene...

6. **Imagina que tu compañero va a ir a vivir contigo durante un mes. Explícale cómo es tu familia, qué cosas soléis hacer y cómo repartís las tareas. Dale consejos para vivir en tu casa y explícale lo que has planeado hacer durante esos días.**

SUPERLATIVO RELATIVO

■ Indica la superioridad o la inferioridad con respecto a otro elemento del mismo grupo:

| el/la los/las | → | sustantivo Ø | → | más menos | → | adjetivo | → | de + sustantivo / que + verbo |

– Mis sobrinas son las niñas **más** guapas **de** la familia.
– Su mujer es la **más** responsable **de** la casa.
– Este camino es el **menos** conocido **de** la zona.
– Eres la persona **más** curiosa **que** conozco.

SUPERLATIVO ABSOLUTO

Adjetivo masculino singular
Adverbio $\Big]$ + **ísimo/a/os/as**

> ### PROFUNDIZACIÓN

■ El sufijo se une al adjetivo o al adverbio según las reglas siguientes:

Adjetivos y adverbios que terminan en vocal	Se sustituye la vocal final por: –ísimo: – últim-**o** ➡ ultim-**ísimo** — grand-**e** ➡ grand-**ísimo**
Adjetivos y adverbios que terminan en consonante	Se añade: –ísimo: – fácil ➡ facil**ísimo** — difícil ➡ dificil**ísimo**
Adverbios que terminan en **-mente**	Se añade –ísima al adjetivo y –mente: – rápidamente ➡ rapid– ➡ rapid**ísima**mente

bueno/bien ➡ óptimo/a
malo/mal ➡ pésimo/a
grande ➡ máximo/a
pequeño ➡ mínimo/a
alto ➡ supremo/a
bajo ➡ ínfimo/a

– Creo que es una solución **pésima**.
– En estos casos, el director tiene la **máxima** responsabilidad.
– En realidad es de una calidad **ínfima**, por eso no me gusta.

■ El superlativo absoluto se forma también anteponiendo al adjetivo algunos adverbios como muy, sumamente, extremadamente, altamente, extraordinariamente:

– Nos enseñaron unos cuadros **extraordinariamente** bonitos.
– Era un hotelito **altamente** cuidado.

1. **Escribe el superlativo absoluto de los siguientes adjetivos.**

a. altos:......................... **d.** grande:..................... **g.** simpático:.....................

b. guapas:..................... **e.** cómodas:................... **h.** rápido:...........................

c. luminoso:................. **f.** bello:....................... **i.** pequeña:.......................

EL PRETÉRITO PERFECTO

■ El *pretérito perfecto* se forma con el presente indicativo del verbo *haber* + el participio del verbo que realiza la acción.

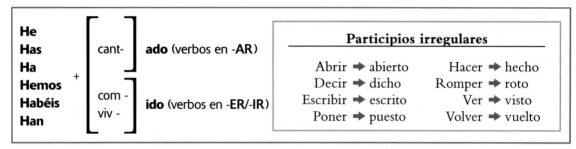

	Participios irregulares	
Abrir ➡ abierto	Hacer ➡ hecho
Decir ➡ dicho	Romper ➡ roto
Escribir ➡ escrito	Ver ➡ visto
Poner ➡ puesto	Volver ➡ vuelto

■ El *pretérito perfecto* se usa para:
• hablar de un pasado acabado: Esta semana **he tenido** que estudiar mucho.
• hablar de un pasado en un tiempo no acabado: Este año **he ido** a la playa.

■ Normalmente va acompañado de estas **expresiones temporales**:
Este fin de semana/mes/verano/año...
Esta mañana/tarde/semana...
Estas navidades/semanas...
Estos días/meses...
Hace un rato/un momento/diez minutos...
Ya...
Todavía no...

Siempre	IIIII
Muchas veces	IIIII
Algunas veces	IIIII
N.º de veces	IIIII
Una vez	IIIII
Ninguna vez	IIIII
Nunca	IIIII
Jamás	IIIII

PRONOMBRES DE OBJETO DIRECTO E INDIRECTO

	Objeto directo	Objeto indirecto
Yo	me	me
Tú	te	te
Él/ella/usted	lo / la	le (se)
Nosotros/as	nos	nos
Vosotros/as	os	os
Ellos/ellas/ustedes	los / las	les (se)

– He cogido las llaves y **las** he metido en el bolso.
– **Le** he dicho a Javier la verdad.

■ Orden de los pronombres: objeto indirecto + objeto directo.

▶ ¿Dónde has dejado mi libro? ▷ **Te lo** he dejado encima de la mesa.

a ti el libro

■ le / les + lo, la, lo, las = **se** + lo, la, lo, las
(El libro, a él) ➡ ~~Le~~ **lo** he dejado encima de la mesa. > **Se lo** he dejado encima de la mesa.

■ Los pronombres se colocan siempre delante del verbo (*Me lo ha contado Carolina*), detrás en el imperativo afirmativo (*cuéntamelo*), del infinitivo (*contármelo*) y del gerundio (*contándomelo*).

VOLVER A + INFINITIVO

■ Para expresar la repetición de una acción se usa **volver a** + **infinitivo**.

– Cristóbal Colón viajó a América en 1492 y **volvió a viajar** allí varias veces más.

– Después de tres años, este verano **he vuelto a** ir al pueblo de mis abuelos.

– El próximo curso **vuelvo a estudiar** francés en el instituto.

PRETÉRITO INDEFINIDO

	Verbos regulares			Verbos irregulares en la 3.ª persona		
				E > I	O > U	I > Y
	Viajar	**Volver**	**Salir**	**Pedir**	**Dormir**	**Construir**
Yo	viaj**é**	volv**í**	sal**í**	pedí	dormí	construí
Tú	viaj**aste**	volv**iste**	sal**iste**	pediste	dormiste	construiste
Él/ella/usted	viaj**ó**	volv**ió**	sal**ió**	p**i**dió	d**u**rmió	constru**y**ó
Nosotros/as	viaj**amos**	volv**imos**	sal**imos**	pedimos	dormimos	construimos
Vosotros/as	viaj**asteis**	volv**isteis**	sal**isteis**	pedisteis	dormisteis	construisteis
Ellos/ellas/ustedes	viaj**aron**	volv**ieron**	sal**ieron**	p**i**dieron	d**u**rmieron	constru**y**eron

▶ PROFUNDIZACIÓN

■ Otros verbos con esta irregularidad:

E>I	
divertirse	➡ divirtió, divirtieron
mentir	➡ mintió, mintieron
– sentir	➡ sintió, sintieron
–pedir	➡ pidió, pidieron
medir	➡ midió, midieron
reír	➡ rio, rieron
despedir.	➡ despidió, despidieron
elegir	➡ eligió, eligieron
impedir	➡ impidió, impidieron
repetir	➡ repitió, repitieron
– seguir	➡ siguió, siguieron

O>U	
– morir	➡ murió, murieron

I>Y	
construir	➡ construyó, construyeron
– oír	➡ oyó, oyeron
– creer	➡ creyó, creyeron
caer	➡ cayó, cayeron
sustituir	➡ sustituyó, sustituyeron
–leer	➡ leyó, leyeron

3. **Completa las siguientes frases conjugando los verbos entre paréntesis en el pretérito indefinido.**

a. (Mentir, ellos) .... a sus padres.

b. El otro día (vestirse, yo) .... muy rápido.

c. El lunes, el director (leer, a nosotros) .... las nuevas normas del instituto.

d. Ayer, mientras estábamos desayunando, (oír, nosotros) .... la noticia.

e. Me gustaría saber si (conseguir, ellos) .... hablar con él por teléfono.

	Ser/Ir	Dar
Yo	fui	di
Tú	fuiste	diste
Él/ella/usted	fue	dio
Nosotros/as	fuimos	dimos
Vosotros/as	fuisteis	disteis
Ellos/ellas/ustedes	fueron	dieron

Verbos completamente irregulares

Verbos irregulares en la raíz

estar ➡ **estuv-**	saber ➡ **sup-**	-e
andar ➡ **anduv-**	caber ➡ **cup-**	-iste
tener ➡ **tuv-**	venir ➡ **vin-**	-o
haber ➡ **hub**	querer ➡ **quis-**	-imos
poder ➡ **pud-**	hacer ➡ **hic-**	-isteis
poner ➡ **pus-**	decir ➡ **dij-**	-ieron

⚠ ▪ hacer, él ➡ hi**z**o ▪ decir, ellos ➡ dij**eron**

MARCADORES TEMPORALES DEL PRETÉRITO INDEFINIDO

▪ Para **relacionar dos acciones** en el pasado:

• *Antes de + llegar/salir/empezar…*
• *Años/días/meses + más tarde…*
• *A los dos meses/a las tres semanas…*

• *Al cabo de + un mes/dos años…*
• *Al año/a la mañana + siguiente…*
• *Un día/mes/año + después…*

– **Antes de** salir de casa, cogí las llaves.
– Empecé a leer un libro y **al cabo de dos horas** lo terminé.

▪ Para indicar el **inicio** de una acción:

• *Desde el lunes/1980/marzo…*
– **Desde** marzo estudio español.

▪ Para indicar la **duración** de una acción:

• *De… a*
• *Desde… hasta*
• *Durante*

– Estuve estudiando español **desde** las cinco **hasta** las ocho.
– Estuve estudiando español **durante** tres horas.

▪ Para indicar el **final** de una acción:

• *Hasta (que)*
– Estudié español **hasta que** cumplí dieciocho años y viajé a España.

Unidad 3

PRONOMBRES INDEFINIDOS

▪ Personas.
• **alguien | nadie**
▶ **¿Alguien** ha visto mi libro?
▷ No, **nadie**.

▪ Cosas.
• **algo | nada**
▶ ¿Quieres **algo** de comer?
▷ No quiero **nada**, gracias.

▪ Personas y cosas.
• **alguno/a/os/as | ninguno/a**
▶ ¿Algún chico es de Francia? **Ninguno**.
▷ **Algunos** de mis amigos hablan francés.

ADJETIVOS INDEFINIDOS

▪ Personas y cosas.
• **algún/a/os/as | ningún/a/os/as**
▶ No hay **ningún** chico de Francia.
▷ Tengo **algunos** libros que te van a gustar.

Recuerda: Normalmente no usamos *ningunos/ningunas*.

CONTRASTE PRETÉRITO PERFECTO E INDEFINIDO

▪ El *pretérito perfecto* se usa para hablar de:

• acciones terminadas ocurridas en un periodo de tiempo todavía **no terminado**.
Este año he viajado mucho.
Esta mañana he desayunado.

• acciones terminadas que tienen **relación con el presente**.
No puedo entrar porque he perdido la llave.

• acciones ocurridas en un **pasado no específico**.
Yo ya he visitado tres teatros romanos.

- **Expresiones temporales** que se usan con el **pretérito perfecto**:
  - Esta tarde/mañana/semana/primavera...
  - Este fin de semana/año/invierno...
  - Hoy...
  - Ya/todavía no/nunca...
  - Hace un rato/cinco minutos...

- El *pretérito indefinido* se usa para hablar de:

  - acciones terminadas ocurridas en un periodo de **tiempo acabado**.
    - **Ayer** vimos una peli muy buena.
    - **El otro día** no fui a clase.

  - acciones que no tienen **relación con el presente**.
    - **En marzo** viajé a Bélgica.

  - **Expresiones temporales** que se usan con el **pretérito indefinido**:
    - La semana/primavera... pasada
    - El fin de semana/año/mes... pasado
    - Hace tres días/dos años...
    - Ayer/anteayer/el otro día...
    - En verano/otoño/1980...

Unidad 4

CONTRASTE PRETÉRITO INDEFINIDO, IMPERFECTO Y PERFECTO

Indefinido	Imperfecto	Perfecto
Se usa para hablar de acciones **pasadas terminadas** en el momento en el que se habla y que **no tienen relación** con el presente.	Se usa para describir **situaciones** pasadas, que tienen una cierta **duración** o **acciones habituales** en el pasado.	Se usa para hablar de acciones en un **pasado reciente** o que **tienen relación** con el presente.
– Ayer **fui** en bici a clase. – El año pasado **fui** de vacaciones a Menorca.	– Aquel día **llovía** mucho. – Antes yo siempre **iba** a Mallorca de vacaciones.	– Últimamente **he tenido** que estudiar mucho. – Este año **he ido** a Ibiza.

SOLER + INFINITIVO

- *Soler* + **infinitivo** se usa para hablar de acciones habituales.
  - Yo **suelo** ir en autobús al instituto, pero a veces, cuando hace calor, voy en bici. (Presente)
  - Antes **solía** comer en el instituo, pero ahora como en casa de mis abuelos. (Pasado)

Unidad 5

FUTURO IMPERFECTO

Verbos regulares

	Estudiar	Comer	Vivir
Yo	estudiaré	comeré	viviré
Tú	estudiarás	comerás	vivirás
Él/ella/usted	estudiará	comerá	vivirá
Nosotros/as	estudiaremos	comeremos	viviremos
Vosotros/as	estudiaréis	comeréis	viviréis
Ellos/ellas/ustedes	estudiarán	comerán	vivirán

Verbos irregulares

tener ➡ ten**dr**-	caber ➡ ca**br**-
poder ➡ po**dr**-	haber ➡ ha**br**-
poner ➡ pon**dr**-	saber ➡ sa**br**-
venir ➡ ven**dr**-	hacer ➡ **har**-
salir ➡ sal**dr**-	decir ➡ **dir**-
valer ➡ val**dr**-	querer ➡ que**rr**-

■ El futuro puede ir acompañado de las siguientes **expresiones temporales**:

El año/mes
La semana/primavera } **que viene** iré a España.

Dentro de dos años/un rato/unos días vendrá a casa.   **Mañana** tendré un examen.
El/la próximo/a semana/mes/año tendré 17 años.   **Pasado mañana** sabremos las notas.

SI + PRESENTE + FUTURO

■ Para hablar de acciones futuras que dependen de una **condición**, usamos la siguiente estructura:

Si	+	**presente**	+	**futuro**
Si		no llueve,		iremos a la playa.

Unidad 6

EL IMPERATIVO AFIRMATIVO

	Verbos regulares				Verbos irregulares			
	Comprar	**Comer**	**Subir**		**Decir**	**Hacer**	**Poner**	**Tener**
Tú	compra	come	sube		**di**	**haz**	**pon**	**ten**
Vosotros/as	comprad	comed	subid		decid	haced	poned	tened
Usted	compre	coma	suba		**diga**	**haga**	**ponga**	**tenga**
Ustedes	compren	coman	suban		**digan**	**hagan**	**pongan**	**tengan**

■ **Imperativo afirmativo + pronombres:**

Los pronombres objeto directo, indirecto y reflexivos se posponen al imperativo, formando una sola palabra.

Pon el queso en la nevera. ➡ **Ponlo.**   Dime el secreto. ➡ **Dímelo.**

▶ PROFUNDIZACIÓN

■ **Otros verbos irregulares.**

	Venir	**Ir**	**Ser**	**Salir**
Tú	**ven**	**ve**	**sé**	**sal**
Vosotros/as	venid	id	sed	salid
Usted	**venga**	**vaya**	**sea**	**salga**
Ustedes	**vengan**	**vayan**	**sean**	**salgan**

■ Los verbos con **cambio vocálico** en el presente de indicativo mantienen también esta irregularidad en el imperativo.

	e > ie	o > ue	u > ue	e > i	i > y
	Cerrar	**Dormir**	**Jugar**	**Pedir**	**Construir**
Tú	cierra	duerme	juega	pide	construye
Vosotros/as	cerrad	dormid	jugad	pedid	construid
Usted	cierre	duerma	juegue	pida	construya
Ustedes	cierren	duerman	jueguen	pidan	construyan

4. Completa la tabla con las formas adecuadas del imperativo afirmativo.

	Ser	Venir	Ir	Pedir	Cerrar	Dormir
tú		ven				
vosotros/as						
usted						
ustedes						

5. Completa las frases conjugando los verbos entre paréntesis en imperativo afirmativo.

1. (Ponerse, tú) .... los pendientes rojos.
2. (Ir, usted) .... a la oficina mañana.
3. (Venir, ustedes) .... conmigo.
4. (Cerrar, tú) .... las ventanas.
5. (Estar, ustedes) .... callados.
6. (Volver, usted) .... más tarde.

6. Convierte las frases en imperativo afirmativo y sustituye las palabras por su pronombre correspondiente, en caso necesario.

1. Ser buenos en el instituto. (vosotros) ➡ ....
2. Venir de clase pronto. (tú) ➡ ....
3. Dormir con la ventana cerrada. (usted) ➡ ....
4. Pedir a tu hermano sus juguetes. (tú) ➡ ....

EL IMPERATIVO NEGATIVO

Verbos regulares

	Comprar	Comer	Subir
Tú	No compres	No comas	No subas
Vosotros/as	No compréis	No comáis	No subáis
Usted	No compre	No coma	No suba
Ustedes	No compren	No coman	No suban

Verbos irregulares

	Decir	Hacer	Poner	Tener
Tú	No digas	No hagas	No subas	No tengas
Vosotros/as	No digáis	No hagáis	No subáis	No tengáis
Usted	No diga	No haga	No suba	No tenga
Ustedes	No digan	No hagan	No suban	No tengan

- **Imperativo negativo + pronombres:**

Los pronombres objeto directo, indirecto y reflexivos se colocan delante del imperativo, separados.

– No **lo** pongas en la estantería.
– No **se lo** digas a nadie.

- **Otros verbos irregulares.**

	Venir	Ir	Ser	Salir
Tú	No **vengas**	No **vayas**	No **seas**	No **salgas**
Vosotros/as	No **vengáis**	No **vayáis**	No **seáis**	No **salgáis**
Usted	No **venga**	No **vaya**	No **sea**	No **salga**
Ustedes	No **vengan**	No **vayan**	No **sean**	No **salgan**

- Los verbos con **cambio vocálico** en el presente de indicativo mantienen también esta irregularidad en el imperativo.

	e > ie Cerrar	o > ue Dormir	u > ue Jugar	e > i Pedir	i > y Construir
Tú	No c**ie**rres	No d**ue**rmas	No j**ue**gues	No p**i**das	No constru**y**as
Vosotros/as	No cerréis	No durmáis	No juguéis	No pidáis	No constru**y**áis
Usted	No c**ie**rre	No d**ue**rma	No j**ue**ge	No p**i**da	No constru**y**a
Ustedes	No c**ie**rren	No d**ue**rman	No j**ue**guen	No p**i**dan	No constru**y**an

7. Completa la tabla con las formas adecuadas del imperativo negativo.

	Ser	Venir	Ir	Pedir	Cerrar	Dormir
tú	no seas					
vosotros/as						
usted						
ustedes						

8. Completa las frases conjugando los verbos entre paréntesis en imperativo negativo.

1. (Ponerse, tú) _____ los pendientes de tu madre.
2. (Ir, usted) _____ a la oficina mañana.
3. (Volver, ustedes) _____ demasiado tarde.
4. (Salir, usted) _____ ahora: es peligroso.
5. (Cerrar, tú) _____ las ventanas.
6. (Estar, ustedes) _____ callados.

9. Completa la tabla con las formas adecuadas del imperativo afirmativo y negativo.

	Ser	Venir	Ir	Pedir	Cerrar	Dormir
tú	no seas	ven	no			no
vosotros/as		no		no	no	
usted		no		no	no	
ustedes			no			no

10. Escribe una frase en imperativo afirmativo y otra en imperativo negativo.

1. Ponerse los pendientes. (tú) ➡ _____
2. Ir a la oficina mañana. (usted) ➡ _____
3. Venir conmigo. (vosotros) ➡ _____
4. Estar callados. (ustedes) ➡ _____

El pretérito imperfecto

Verbos regulares

1.ª Conjugación –AR CANTAR	2.ª Conjugación –ER COMER	3.ª Conjugación –IR VIVIR
cantaba	comía	vivía
cantabas	comías	vivías
cantaba	comía	vivía
cantábamos	comíamos	vivíamos
cantabais	comíais	vivíais
cantaban	comían	vivían

Verbos irregulares

SER	IR	VER
era	iba	veía
eras	ibas	veías
era	iba	veía
éramos	íbamos	veíamos
erais	ibais	veíais
eran	iban	veían

Imperativo afirmativo

Verbos regulares

1.ª Conjugación –AR CANTAR	2.ª Conjugación –ER COMER	3.ª Conjugación –IR VIVIR
canta	come	vive
cante	coma	viva
cantad	comed	vivid
canten	coman	vivan

Verbos irregulares

CAER	COGER	CONDUCIR	CONOCER	CONSTRUIR
cae	coge	conduce	conoce	construye
caiga	coja	conduzca	conozca	construya
caed	coged	conducid	conoced	construid
caigan	cojan	conduzcan	conozcan	construyan

CONTAR	DECIR	DORMIR	ELEGIR	EMPEZAR
cuenta	di	duerme	elige	empieza
cuente	diga	duerma	elija	empiece
contad	decid	dormid	elegid	empezad
cuenten	digan	duerman	elijan	empiecen

HACER	HUIR	IR	JUGAR	OÍR
haz	huye	ve	juega	oye
haga	huya	vaya	juegue	oiga
haced	huid	id	jugad	oíd
hagan	huyan	vayan	jueguen	oigan

PEDIR	PENSAR	PONER	SABER	SALIR
pide	piensa	pon	sabe	sal
pida	piense	ponga	sepa	salga
pedid	pensad	poned	sabed	salid
pidan	piensen	pongan	sepan	salgan

SER	TENER	VENIR	VESTIR	VOLVER
sé	ten	ven	viste	vuelve
sea	tenga	venga	vista	vuelva
sed	tened	venid	vestid	volved
sean	tengan	vengan	vistan	vuelvan

La forma *vosotros* de imperativo es siempre **regular.**

El futuro imperfecto
Verbos regulares

1.ª Conjugación –AR CANTAR	2.ª Conjugación –ER COMER	3.ª Conjugación –IR VIVIR
cantaré	comeré	viviré
cantarás	comerás	vivirás
cantará	comerá	vivirá
cantaremos	comeremos	viviremos
cantaréis	comeréis	viviréis
cantarán	comerán	vivirán

Verbos irregulares

CABER	DECIR	HABER	HACER
cabré	diré	habré	haré
cabrás	dirás	habrás	harás
cabrá	dirá	habrá	hará
cabremos	diremos	habremos	haremos
cabréis	diréis	habréis	haréis
cabrán	dirán	habrán	harán

PODER	PONER	QUERER	SABER
podré	pondré	querré	sabré
podrás	pondrás	querrás	sabrás
podrá	pondrá	querrá	sabrá
podremos	pondremos	querremos	sabremos
podréis	pondréis	querréis	sabréis
podrán	pondrán	querrán	sabrán

SALIR	TENER	VALER	VENIR
saldré	tendré	valdré	vendré
saldrás	tendrás	valdrás	vendrás
saldrá	tendrá	valdrá	vendrá
saldremos	tendremos	valdremos	vendremos
saldréis	tendréis	valdréis	vendréis
saldrán	tendrán	valdrán	vendrán

Glosario

Unidad 0

Español	En mi lengua
Culpa, la	
Dar pena	
Disfrutar	
Excursión, la	
Feria, la	
Hacer las paces	
Incluso	
Mochila, la	

Español	En mi lengua
Mosquearse	
Por la cara	
Rato, el	
Senderismo, el	
Soñar	
Tener ganas de	
Vagón, el	

Unidad 1

Español	En mi lengua
Abanico, el	
Abrazo, el	
Abrecartas, el	
Acampada, la	
Aire libre	
Aislado/a	
Ajedrez, el	
Alojarse	
Amurallado/a	
Apuntarse	
Archipiélago, el	
Bastón, el	
Bocadillo, el	
Bolso, el	
Brújula, la	
Camello, el	
Campeonato, el	
Carro, el	
Cartón, el	
Consejo, el	
Dar una vuelta	
Delantal, el	
Desorientarse	
Envidia, la	
Ermitaño, el	
Esconder	
Esquiar	
Estrella, la	
Estropear	
Explicación, la	
Fortaleza, la	
Jamón, el	
¡**G**uay!	
Hostal, el	
Imán, el	

Español	En mi lengua
Ingrediente, el	
Lava, la	
Lista, la	
Llave, la	
Mancharse	
Mercadillo, el	
Mezclar	
Monstruo, el	
Oferta, la	
Palacio, el	
Patinar	
Peregrino, el	
Pertenecer	
Puesta de sol, la	
Quemar	
Recuerdo (souvenir), el	
Relacionarse	
Relajarse	
Río, el	
Robar	
Rodear	
Ruta, la	
Sacar buenas notas	
Saco de dormir, el	
Sierra, la	
Tener razón	
Terror, el	
Tienda de campaña, la	
Tirarse en paracaídas	
Tumba, la	
Valiente	
Valorar	
Victoria, la	
Volcán, el	
Voluntad, la	

Español	En mi lengua	Español	En mi lengua
Adivinar		**H**éroe, el	
Álbum de fotos, el		Honesto/a	
Ambientado/a		Huella, la	
Anillo, el		Huída	
Autoridad, la		**J**oya, la	
Batalla, la		Jubilarse	
Boda, la		Jurar	
Bombardeo, el		**L**abor, la	
Caballero, el		Lealtad, la	
Casamiento, el		Licenciarse	
Confundirse		Llevar puesto	
Darse cuenta de algo		Llorar	
Derrotar		Luchar	
Desarrollo, el		**M**ediante	
Designar		**N**ave, la	
Destruir		Navegante	
Divorciarse		**O**currir	
Ejército, el		Oro, el	
Enemigo, el		**P**aloma, la	
Espada, la		Perder	
Espadachín, el		Por la fuerza	
Éxito, el		Protagonista, el/la	
Expulsar		**S**alir con alguien	
Facultad, la		Sin querer	
Formar parte de		Soldado, el	
Herencia, la		**V**encer	

Unidad 2

Español	En mi lengua	Español	En mi lengua
Abreviatura, la		Estar dispuesto a	
Altruista		**F**ábrica, la	
Anécdota, la		**G**eneración, la	
Aprovechar		Gracioso/a	
Atraer		Guardar reposo	
Audiencia, la		**I**ndígena, el/la	
Barro, el		Inquieto /a	
Benéfico/a		Insecto, el	
Bondadoso/a		Infancia, la	
Botijo, el		Influir	
Caramelo, el		**M**ascota, la	
Canguro, el		**N**orma, la	
Cumbre, la		**O**mbligo, el	
Curiosidad, la		Oscuridad, la	
Dar algo en la TV		**P**alo, el	
Delfín, el		Pico, el	
Desembarcar		Plantar	
Desplazar		**R**ed, la	
Dinosaurio, el		Resto, el	
Empleo, el		Rodar (películas)	
Escalar		**T**aller, el	
Estar bien/mal visto		Temprano	

Unidad 3

Unidad 4

Español	En mi lengua	Español	En mi lengua
Acercarse		Hormiga, la	
Amanecer, el		Humilde	
Beso, el		Justificarse	
Campana, la		Lejano/a	
Cementerio, el		Lujoso/a	
Censura, la		Moraleja, la	
Chalé, el		Novio/a	
Cigarra, la		Pantalla, la	
Cola, la		Plazo, el	
Cuento, el		Poema, el	
Desconsolado/a		Prisa, la	
Desgracia, la		Relato, el	
Destacar		Soler	
Dragón, el		Sorteo, el	
Echarse la siesta		Tener cuidado	
Escenario, el		Tener prisa	
Excusa, la		Vergüenza, la	
Fábula, la		Verso, el	
Género literario, el			

Unidad 5

Español	En mi lengua	Español	En mi lengua
Águila, el		Erupción, la	
Alcalde, el		Faro, el	
Buitre, el		Fauna, la	
Campaña, la		Flora, la	
Candidato, el		Fregar	
Castigar		Mando a distancia/de la tele	
Contaminación, la		Marinero, el	
Deforestación, la		Ola, la	
Deshielo, el		Partido, el	
Diseñar		Pesado/a	
Duna, la		Predicción, la	
Elecciones, las		Reciclaje, el	
Eliminar		Sequía, la	

Unidad 6

Español	En mi lengua	Español	En mi lengua
Agradecer		Horroroso/a	
Barrer		Jalea real, la	
Basura, la		Lanzar	
Botar		Maleducado/a	
Cancha, la		Marcar un gol	
Chutar		Nevera, la	
Cuerda, la		Obra de teatro, la	
Dar permiso a alguien		Ofensivo/a	
Decepcionado/a		Pase, el	
Denegar		Planchar	
Equitativo/a		Portería, la	
Esfuerzo, el		Portero/a, el/la	
Estilo, el		Quejarse	
Estricto/a		Raqueta, la	
Falta, la		Rechazar	
Flotar		Sábana, la	
Gesto, el		Sonreír	
Golpear		Tarea doméstica, la	